SV

Hans Mayer
Reisen nach Jerusalem

Erfahrungen 1968 bis 1995

Suhrkamp Verlag

Erste Auflage 1997

Satz: Libro, Kriftel
Druck: Allgäuer Zeitungsverlag, Kempten
Printed in Germany

Reisen nach Jerusalem

Inhalt

I. Die Reise nach Jerusalem
Gegenwart eines Mythos

Die Ausgrenzung

»Die Reise nach Jerusalem«. Ein weltbekanntes Spiel aus dem Kinderzimmer, aus dem Klassenzimmer, auch ein Spiel für Erwachsene, wenn ein Familienfest stattfindet und man übergehen darf zum sogenannt heiteren Teil. Offenbar ist das Spiel von der Reise nach Jerusalem wirklich etwas zum Lachen. Lärmend und lachend geht es stets zu dabei. Es stehen viele Stühle bereit, die man auf raschen Befehl eines Spielmeisters zu besetzen hat. Doch ein Stuhl fehlt. Für fünfzehn Mitspieler sind so vierzehn Stühle vorgesehen. Einer fehlt. Ein Mitspieler findet also keinen Platz. Er muß ausscheiden.

Nun wird ein weiterer Stuhl entfernt. Wieder muß ein Mitspieler ausscheiden. Schließlich ist nur noch ein einziger Stuhl vorhanden. Zwei übriggebliebene Mitspieler müssen wetteifern, um sich rasch darauf zu setzen. Abermals ist der Konkurrent ausgeschieden. Der Sieger hält den Stuhl besetzt. Aber er ist allein.

Ein heiteres, doch insgeheim bedrückendes Geschehen. Ein Spiel mit den Ausgrenzungen. Ein Spiel mit dem Überleben. Allein, es ist, am Spielende, ein trauriges Überleben in der Einsamkeit. Dieses heitere Kinderspiel ist recht eigentlich auch ein Parabelspiel für alte Leute.

Vermutlich gibt es genaue historische und soziologische Kenntnisse, die den sonderbaren Titel des Spiels als einer »Reise nach Jerusalem« zu erklären vermögen. Unabweisbar aber scheint es, daß hier ein uralter Mythos, beruhend auf uralter geschichtlicher

Erfahrung, zur Namensgebung führte. Das Spiel im Kinderzimmer oder im festlichen Wohnzimmer handelt immer noch von den Kreuzzügen und den Kreuzrittern. Es läge nahe, von Archetypen im Sinne von C.G. Jung zu sprechen. Allein, das wäre vermutlich ein Fehlschluß. Jene Archetypen haben fast immer mit der gleichsam kreatürlichen Existenz von Menschen zu tun. Hier handelt es sich hingegen um Residuen einer geschichtlichen und gesellschaftlichen Erfahrung. Nämlich der mittelalterlichen Kreuzzüge. Die sind, jedenfalls innerhalb der europäischen Welt, auch nach so vielen Jahrhunderten ein Trauma geblieben. Der deutsche Emigrant und amerikanische Offizier im Zweiten Weltkrieg, Stefan Heym aus Chemnitz, veröffentlichte unmittelbar nach Kriegsende einen höchst erfolgreichen Romanbericht über seine Kriegserlebnisse. Er gab ihm den Titel *The Crusaders*. Der Mythos von den Kreuzfahrern ist immer noch auch sprachlich so virulent, daß man – zunächst – die Mittelmeerreisen zu Schiff, später auch alle anderen großen Schiffsreisen, als »Kreuzfahrten« angeboten hat. Kreuzfahrer also ohne das Kreuz, und ohne das allerchristlichste Ziel einer Befreiung der Heiligen Grabstätte aus der Hand der sogenannt Ungläubigen.

Die sprachliche und sogar touristische Gegenwart des Kreuzfahrermythos vollzieht sich also, mit Notwendigkeit, in Form einer Säkularisierung. Auch in dieser Form jedoch erweist sich der Mythos nach wie vor als bittere Geschichte einer Ausgrenzung. Bertolt Brecht hat die Geschichte von der »Reise nach Jerusalem« auch seinerseits immer wieder erzählt: mündlich wie als Schriftsteller. Daraus wurde eine von Brechts Kalendergeschichten. Ohne Kreuz und ohne das Reiseziel Jerusalem. Immer wieder lachte Brecht, wenn er die Geschichte erzählte. Er mochte sie offenbar gern.

Sie lautete etwa so, daß an ihrem ersten Schultag die Kinder vom Lehrer in einer Schulklasse voller Stühle empfangen wurden. Der Lehrer wußte, wie viele Schüler zur Stelle sein würden. Er sorgte für die Anzahl der Stühle, doch sorgte er gleichzeitig dafür, daß ein Stuhl fehlte. Als die Kinder vollzählig da waren, gab er, wie bei der »Reise nach Jerusalem«, den Befehl, man solle sich auf die Stühle setzen. Da es sich nicht um ein Spiel handelte, setzten sich alle ruhig auf einen Stuhl. Ein Kind aber blieb stehen. Es hatte keinen Stuhl gefunden. Der Lehrer ging auf das Kind zu, gab ihm eine leichte Ohrfeige und sagte dabei: »Damit du jetzt schon lernst, daß man Glück haben muß!«

Das verlorene Jerusalem

Eine andere Kindergeschichte führt nun gleichfalls in unser deutsches zwanzigstes Jahrhundert. Auch sie ist – abermals scheinbar – eine spezifisch deutsche Geschichte, doch mit einem uralten bitteren Kern. Wenn die kleinen Judenkinder in Köln im Herbst zu den großen jüdischen Feiertagen des Neujahrsfestes und des Versöhnungsfestes in die Synagoge gingen, standen draußen, zu Anfang der zwanziger Jahre, die kleinen katholischen Kinder, um die ungläubigen Judenkinder zu verspotten. Lachend plärrten sie ihre Beschimpfungen, die so begannen: »Jud! Jud! Jud!, Hep! Hep! Hep!, Steck de Nas inne Wasserschepp«.

Ein Hohn natürlich auf die allzu großen »Judennasen«. Das alles war klar und deutlich und wurde auch richtig verstanden von den Beleidigern und den Beleidigten. Wie aber verhält es sich mit dem Spottruf »Hep!«? Darauf hätten weder die kindlichen Beleidiger noch die kindlichen Beleidigten eine Antwort gewußt.

Gegenwart eines Mythos. Plötzlich fand man sich, in den ersten Jahrzehnten des zwanzigsten Jahrhunderts, zurückversetzt ans Ende eines ersten nachchristlichen Jahrhunderts. Im Jahre 70 hatte der römische Feldherr und Kaiser Titus, Sohn des Kaisers Vespasianus, die Stadt Jerusalem erobert, den Tempel zerstört, die heiligen Geräte als Siegesbeute nach Rom gebracht. Der Titusbogen auf dem römischen Forum macht es immer noch sichtbar. Man kann die Abbildung vom Abtransport des siebenarmigen Leuchters gut erkennen. Kein bewußter Jude, der in Rom lebte, hätte es über sich gebracht, arglos durch diesen Triumphbogen zu gehen. Juden als römische Bürger hatten offenbar immer am Tiber gelebt. Das römische Weltreich mußte tolerant sein gegenüber den Abkömmlingen so vieler besiegter Nationen.

Allein, Juden müssen von jeher durch ihre Besonderheit auch bereits in der römischen Weltenmetropole tiefes Befremden hervorgerufen haben. Nach der Eroberung Jerusalems und der Vertreibung der dortigen Juden in eine Weltdiaspora höhnten die römischen Kinder (und Erwachsenen) die römischen Juden mit dem Spottruf: *»Hierosolyma est perdita. Jerusalem ist verloren! Hep!«* Dieser Ruf galt immer noch: auch am Ausgang eines zweiten Jahrtausends.

Zur Gegenwart des antiken Mythos von der römischen Eroberung Jerusalems, die dann natürlich abgelöst wurde durch viele andere kriegerische Eroberer, schließlich durch die islamischen Sarazenen, tritt die Gegenwart des Mythos von den christlichen Kreuzfahrern. Noch im Schulunterricht der Weimarer Republik wurde darüber in einer Weise gesprochen, die den weitgehend französischen und italienischen Aufrufen zur Befreiung des Heiligen Grabes gleichsam auch eine deutsche Gemeinsamkeit zu geben suchte. Man nannte den Heerführer des ersten Kreuzzuges mit deutschem Vornamen einfach Gottfried von Bouillon. Den eifervollen Prediger bezeichnete man als Bernhard von Clairvaux.

Sentimentale Erinnerungen die Fülle in der deutschromantischen Literatur des mittelalterfreudigen neunzehnten Jahrhunderts. Ludwig Uhland hat in bewußt einfältigen deutschen Reimen die Geschichte vom »Kaiser Rotbart Lobesam« beschrieben und seinen wackeren Schwaben, die den türkischen Gegner einfach in zwei Stücke hauen. Zur Rechten sieht man wie zur Linken, einen halben Türken heruntersinken. Der Dichter Ludwig Uhland aus Tübingen nannte das voller Genugtuung: »Einfach Schwabenstreiche«.

Kaiser Rotbart Lobesam: das war Friedrich Barbarossa, ein sehr grausamer Eroberer, der beim Baden im Heiligen Land ums Leben kam. Als Mythos entrückt seitdem in den Kyffhäuser. Der französische König Ludwig IX. kam gleichfalls bei der Kreuzfahrt ums Leben. Er starb im nordafrikanischen Karthago, wo eine Kirche an seinen Tod erinnert: »An Ludwig den Heiligen«.

Die historische Wirklichkeit der Kreuzzüge und der

Kreuzfahrer muß grauenvoll gewesen sein. Die Kreuzzüge waren ein wohlberechnetes Machtinstrument der römischen Päpste, um sich die ungehorsamen weltlichen Herrscher willfährig zu machen. Stets drohte der Kirchenbann, wenn der Kreuzzug verweigert wurde. Wurde er akzeptiert, so war der Stauferkaiser oder der König von Frankreich für eine Weile unschädlich gemacht. Die Kreuzfahrer selbst, angeführt von eifervollen Mönchen, hatten weniger die Befreiung des Heiligen Landes im Sinn als das Beutemachen und das Abenteuer. Beutemachen auch bei der Plünderung des oströmischen Konstantinopel. Die oströmische Kirche war keine römisch-katholische Kirche.

Wie sehr die Erinnerung an die Leiden und Sünden, die Wonnen und Reichtümer der Kreuzfahrer heute noch in der europäischen Kultur genau so gegenwärtig sind wie das »Hep!« der Römer nach der Zerstörung des Tempels läßt sich an zwei großen Weltepen demonstrieren, die nach wie vor, zumeist in vermittelter Weise, die heutige Bilderwelt beschäftigen. Im *Parzival* des Wolfram von Eschenbach und im *Befreiten Jerusalem* des Torquato Tasso.

Natürlich ist Wolframs *Parzival*, zu Beginn des dreizehnten Jahrhunderts entstanden, im Kern ein »Ritterspiegel«, also eine Erziehungsdichtung für den vollendeten Ritter und auch Herrscher. Durch die französisch-keltischen Elemente der Artus-Sage ist die Geschichte von Parzivals »Identitätsfindung« ein Werk der hierarchisch unbedrohten Ritterwelt. Dennoch bildet auch hier die Geschichte der Kreuzzüge den Ausgangspunkt. Parzivals Vater fällt als Kreuzritter. Die Mutter, die Königin Herzeloyde, erzieht den Knaben in bewußter Abkehr von aller Gefährdung durch weltliche und geistliche Machthaber. Allein, der Knabe entläuft, wie bekannt. »Und Herzeloyde starb«, berichtete Kundry dem reinen Toren Parzival.

Nach der großen höfischen Dichtung des dreizehnten Jahrhunderts nun die mythische und Mythen bildende Dichtung der italienischen Renaissance. *La Gerusalemme liberata* von Torquato Tasso spricht in der ursprünglichen Titelgebung von einer »Befreiung Jerusalems« aus sarazenischer Gewalt. Der skeptische Dichter, dem jedoch um 1560 die Ereignisse im Zeichen der Türkenkriege ganz anders vor Augen stehen als in der epischen Geschichte aus dem ersten Kreuzzug des Gottfried von Bouillon, verändert später den Titel und spricht nur noch von einem »eroberten Jerusalem«. Jerusalem wurde nicht befreit. Tasso schreibt als skeptischer Dichter innerhalb einer Welt der siegreichen Gegenreformation, die himmlischen Mächte helfen den Kreuzfahrern, allein, die Sarazenen können mit höllischem Zauber und teuflichen Zauberinnen rechnen.

Eben dadurch aber konnte Tassos Dichtung, weit stärker noch als der *Rasende Roland* von Ariost, so unermächtlich weiter wirken in die späteren Jahrhunderte. Dieses Jerusalem, das nur im Titel von Bedeutung ist, zeigt moderne Menschen zwischen Glauben und Unglauben, Selbständigkeit und Unselbständigkeit. Die Frauengestalten bei Tasso, also Armida, Clorinda und Erminia, präsentieren sich bereits als dreifache Möglichkeiten einer modernen weiblichen Existenz: als Vamp (Armida), als Frau mit der Waffe (Clorinda), als Dichterin und Künstlerin (Erminia).

In seiner *Italienischen Reise* erzählt Goethe, der es vielleicht wirklich erlebt hat, von den Gondolieri zu Venedig, die miteinander wetteifern im Gesang von Versen des Torquato Tasso. Die europäische Operngeschichte ist undenkbar ohne die Libretti über Episoden aus dem *Befreiten Jerusalem*. Es handelt sich jedoch immer noch um Kreuzfahrergeschichten einer »Reise nach Jerusalem«. Auch bei der *Armida* von Christoph Willibald Gluck. Auch bei *Tancredi* von Rossini.

Das himmlische Jerusalem

Ein größerer Gegensatz ist kaum denkbar als jener zwischen der Jerusalem-Vision einer katholischen Gegenreformation und den evangelischen, insbesondere calvinistischen Vorstellungen vom »Himmlischen Jerusalem«. Die jesuitische Vision, die auch in Torquato Tassos späterem Konzept von einer »Eroberung Jerusalems« spürbar wird, hält sich an den Messetext von Christus, dem Weltenrichter über Lebende und Tote. Die Ecclesia militans scheint keinen Blick zu werfen auf die möglichen »himmlischen Freuden«. Auch hier freilich gab es eine katholische Tradition, die in die Welt der Spätantike zurückreicht. In seinen Gedanken über den Gottesstaat (civitas dei) entwirft Augustinus auch eine Gegenwelt zum Gottesstaat, nämlich den Teufelsstaat (civitas diaboli).

Den beiden Gegenwelten entsprechen, bei Augustinus, zwei symbolträchtige Ortsnamen. Babylon als Teufelsstadt, zu einem Himmlischen Jerusalem.

Bemerkenswert ist die Zuordnung Babylons zum Teufelsstaat angesichts der Babylonischen Gefangenschaft der Israeliten. Erst die Heimkehr aus Babylon führte schließlich zur Neuerrichtung des Tempels in Jerusalem und zur neuen schriftlichen Fixierung der Thora durch Esra und Nehemia. Andererseits wußte Augustinus natürlich, daß auch dieser zweite Tempel zerstört werden sollte. Wenn er folglich die Gegenwelt zum Teufelsbereich in Babylon unter den Namen »Jerusalem« stellte, so konnte damit nur ein himmlisches Jerusalem gemeint sein.

Es war folgerichtig im Sinne der augustinischen Überlieferung, daß gerade in der evangelisch-lutherischen Theologie die schroffe Zweiteilung zwischen irdischem Jammertal und himmlischen Freuden bis hin zur pietistischen Süßlichkeit übernommen werden sollte. Der Doktor Martinus Luther war ein Augustinermönch.

Erst die Verbindung von Protestantismus und innerweltlicher Askese mußte dazu führen, alle Diesseitigkeit als Last und Plage und allein als Vorstadium für das »Eigentliche« zu interpretieren. Das Jenseits als das Eigentliche. Im deutschen Pietismus hat diese geistige Verbindung, sehr im Gegensatz zu der von Max Weber interpretierten Verbindung zwischen Kapitalismus und Calvinismus, zu einer süßlichen, oft widerwärtigen Unredlichkeit des Denkens geführt. Manche Kantatentexte Johann Sebastian Bachs, die verfaßt waren von bürokratischen Klerikern zu Leipzig, präsentieren sich als Kontrast zwischen einem Text der weinerlichen Erbauung und einer großen Musik, die sich so wenig um jene Texte kümmert, daß sie es wagen kann, die jeweilige Partitur, in einem Parodieverfahren, auch mit einem ganz anderen, höchst weltlichen Text zu verbinden. Kantatentexte wie »Oh komm, ersehnte Todesstunde« oder »Ich will den Kreuzstab willig tragen« sind kaum mehr zu ertragen. Das ist die Vorstellung von der Erbsünde, von urbösem Sinnen und Trachten aller Menschheit, die alles Diesseitige als Jammertal versteht. Die einzige Hoffnung ist jenseitig. Sie drängt sich zusammen in einer Vision des »Himmlischen Jerusalem«.

Freilich gab es, zwar nicht im Luthertum, doch im strengen Calvinismus, als wesentlich neues Moment das Prinzip der Prädestination, also der Vorherbestimmung. Alles Irdische scheint festgelegt zu sein. Gnade und Ungnade im einzelnen Falle sind prästabiliert. Der calvinistische englische Diktator und Lordprotektor Oliver Cromwell, der seinen König hinrichten ließ, fragte auf dem Totenbett seinen geistlichen Berater, ob man aus der göttlichen Gnade auch wieder herausfallen könne. Das wurde verneint. Cromwell war freudig bewegt und soll gesagt haben, dann sei er sicher, einmal in Gnade gewesen zu sein.

Es ist nicht zu verkennen, daß ein unmittelbarer geistiger und auch politischer Zusammenhang zwischen diesen pietistischen und calvinistischen Vorstellungen von Gnade und Ungnade, irdischem Jammertal und himmlischem Jerusalem vorhanden ist und stets von neuem virulent werden kann. Alle Vorstellungen vom japanischen Kamikaze; vom heiligen islamischen Kämpfer, dessen Selbstopfer himmlisch belohnt wird; alles asketische Streben nach jenseitiger Belohnung setzt ein hierarchisches System voraus, das immer wieder an den Fall des Sisyphus im Sinne von Albert Camus zu gemahnen scheint. Immer wieder der Aufstieg, von dem man weiß, daß er mißlingen wird. Immer wieder der irdische Absturz beim Versuch eines Aufstiegs zum himmlischen Jerusalem. Im Grunde ist auch das Schloß bei Franz Kafka ein besonderes, im Diesseits angesiedeltes Gebäudes des himmlischen Jerusalem. Es ist unerreichbar, doch es scheint real zu sein.

Nach dem Ende eines Ersten Weltkrieges bemühten sich die damaligen Siegermächte, geistig sehr planvoll dirigiert durch die französische Außenpolitik, eine künftige Friedensordnung für die europäische Welt mit Hilfe von Neutralisierung und Internationalisierung zu erreichen. Dem neugegründeten »Völkerbund« wurden »Mandate« anvertraut über Territorien, welche für die europäische Politik nach wie vor wichtig waren, die man jedoch herrschaftslos zu halten gedachte. Eine internationalisierte Freie Stadt Danzig, in welcher ein Völkerbundkommissar präsidierte als Repräsentant der Weltgemeinschaft. Lange Zeit hatte ein Australier in Danzig administriert. Als in den dreißiger Jahren die Politiker des Dritten Reiches immer lärmiger die Rückkehr Danzigs »Heim ins Reich!« verlangten, bestellte man in Genf einen schweizerischen Hochkommissar für Danzig. Er war mein Hochschulprofessor am Genfer Universitäts-Institut für Internationale Studien, der Historiker Carl J. Burckhardt. Ich habe ihn dann in Genf im September 1939 wiedergesehen, als man ihn in Danzig hinausgeworfen hatte. Ich erinnerte ihn damals an seine Worte vor Antritt der Danziger Mission: »Es werden eines Tages deutsche Kriegsschiffe im Hafen von Gdingen einlaufen, und ich werde vor der Tür meines Hauses stehen und mit erhobenem Füllfederhalter im Namen des Völkerbundes dagegen protestieren.« Genau so ist es gekommen.

Auch einige Restbestände des am Ende des Weltkrieges zusammengebrochenen Osmanischen Reiches wurden in den Pariser sogenannten Vorort-Verträgen, weil auch die Türkei besiegt worden war, mit Hilfe von Völkerbundsmandaten entpolitisiert und neutralisiert. Frankreich als Mandatsmacht des Libanon, Großbritannien als Mandatsmacht des Völkerbundes für Palästina. Dadurch waren sogleich die Auseinandersetzungen zwischen den bereits in Palästina ansässigen und den zukünftigen Einwanderern einerseits, der britischen Mandatsmacht andererseits programmiert. Itzhak Schamir hat mitgeholfen, das Hotel King David, wo die britische Mandatsmacht residierte, in die Luft zu sprengen. Zwischen 1919 und 1948 steht die Geschichte Palästinas durchaus nicht im Zeichen eines jüdisch-arabischen, sondern eines antibritischen Zionismus.

Nach dem Ende eines Zweiten Weltkrieges und der Gründung der ›Vereinten Nationen‹ in San Francisco verwarfen die nunmehrigen Siegermächte, zu welchen nun auch die siegreiche Sowjetunion unter Stalin gehörte, das einstmals praktizierte System der Internationalisierung und der Neutralisierung. Da die Allianz der USA, der Sowjetunion, des Vereinigten Königreiches und des gaullistischen Frankreichs stets brüchig gewesen war, betonte man in den ersten Nachkriegsjahren geradezu hymnisch das vierfache Bündnis. Man praktizierte nunmehr das Prinzip der Aufteilung einstmals einheitlicher gesellschaftlicher Gebilde. Vier Sektoren in Wien und Berlin. Vier Besatzungszonen im untergegangenen Deutschen Reich, in welchem auch der Staat Preußen untergegangen war.

Das Prinzip der Aufteilung und Sektorisierung erwies sich als zäh und langlebig. Gerade auch, nachdem die beschworene Allianz zerfallen war. Was zur Folge hatte, daß nunmehr die Sektoren und Besatzungszonen gegeneinander aufgebaut wurden: mit schweren militärischen Mitteln.

Als die Gründung des Staates Israel unmittelbar zur kriegerischen Auseinandersetzung des neugegründeten Staates mit seinen Nachbarn führte, kam ein Waffenstillstand zustande, der abermals den Grundsatz der Aufteilung zur Voraussetzung hatte. Von nun an gab es das geteilte Jerusalem. In der Erinnerung geblieben, bis zum Jahre 1967, war der Begriff des »Mandelbaumtors«. Empfindsame Leser haben sich darunter stets eine poetische Landschaft vorgestellt: mitten im geteilten Jerusalem, wo von nun an das Mandelbaumtor die einzige Verbindung herstellte zwischen dem jüdischen und arabischen Teil der Stadt. Jener Mandelbaum aber hatte wenig mit der Botanik und gar nichts mit der Poesie zu tun. Das Grenztor war einfach auf dem Gelände irgendeines Herrn Mandelbaum errichtet worden.

Das Weitere ist bekannt. Der Sechstagekrieg. Der Staat Israel nimmt ganz Jerusalem in Besitz. Als ich ein Jahr später (1968) zum ersten Mal in Jerusalem eintraf, hatte ich das Glück, eine unvergleichbare Ganzheit mit Namen Jerusalem erleben zu dürfen.

II. Jerusalem 1968

Besuch eines Renegaten

Die Konstellation für meinen Besuch in Jerusalem im Oktober 1968 war denkbar günstig. Sie war gleichzeitig aber auch denkbar ungünstig.

Der Staat Israel hatte den sogenannten Sechstagekrieg siegreich beenden können. Der eingekreiste Staat hatte einen Verteidigungskrieg, wobei es um die Existenz ging, dadurch ausgelöst, daß er den bevorstehenden Angriffen der Ägypter, Jordanier und Syrer durch einen überraschenden eigenen Angriff zuvorkam. Der Verteidigungskrieg verwandelte sich am Ende in einen Eroberungskrieg. Das war 1967. Nahezu dreißig Jahre waren nötig, nachdem auch ein zweiter Angriff der anti-israelischen Araber keine Veränderung bewirkt hatte, um so etwas wie Frieden im Nahen Osten einkehren zu lassen.

Ein Jahr später, also im Herbst 1968, wurde ich eingeladen, nach Israel zu reisen, um einen Vortrag zu halten über den Zustand deutscher Literatur nach zwei Weltkriegen. Der Börsenverein des Deutschen Buchhandels hatte eine Ausstellung dieser Literatur vorbereitet. Sie sollte in Tel Aviv, Jerusalem und Haifa gezeigt werden. Geplant war von den deutschen und israelischen Veranstaltern, daß die Ausstellung selbst, eine Wanderausstellung natürlich, an jedem der Orte von einem Vertreter des Börsenvereins, dem Leiter eines namhaften deutschen Buchverlages, eröffnet und präsentiert werden sollte. Einige Tage später sollten dann ein Schriftsteller und Literaturwissenschaftler jeweils einen Vortrag halten. Man hatte die Schriftsteller Walter Jens, Hans Mayer und Martin Walser gebeten, diese Aufgabe zu übernehmen.

Ich hatte den Anfang zu machen. In Tel Aviv sollte ich am 12. Oktober referieren. Es hatte mich gefreut, daß der Vortrag im Großen Saal der Loge Bne Brith stattfinden würde. Dieser Name war mir wohlbekannt. Mein Vater war Mitglied der Loge Bne Brith gewesen.

Wohlgemerkt, ich würde vorgestellt werden als Deutscher und Sprecher der gegenwärtigen deutschen Literatur. Genauer gesagt: eines Schrifttums in deutscher Sprache. Kein Unterschied durfte also gemacht werden zwischen den Westdeutschen Heinrich Böll oder Günter Grass, den Ostdeutschen Brecht und Anna Seghers oder Uwe Johnson, den Schweizern Frisch und Dürrenmatt, den Österreichern Ingeborg Bachmann oder Ernst Jandl. Dennoch wurde mir deutlich, beim Nachdenken über jenes Redeprojekt im Staate Israel, daß es nicht mehr anging, in der zweiten Hälfte des Jahrhunderts, »deutsche Literatur« einfach als Literatur zu interpretieren, welche sich der deutschen Sprache bedient. Dieser ideologische Überhang aus der Zeit des Kaiserreiches und seines Weimarer republikanischen Folgestaates mußte abgebaut werden. Man hatte von nun an auch aus wissenschaftlichen Gründen von einer österreichischen oder deutsch-schweizerischen Literatur zu sprechen. Mehr noch: die beiden Staatsgebilde auf deutschem Boden hatten sich seit dem Ausgang der vierziger Jahre durchaus divergierend entwickelt, bisweilen antagonistisch. Auch davon sollte in Tel Aviv gesprochen werden.

Am 10. Oktober 1968 flog ich von Frankreich nach Tel Aviv und landete auf dem Flughafen Lod. Das war der antike Ort Lidda, wie man mir später berichtete. Hier soll der Heilige Georg als christlicher Soldat einer römischen Legion sein Martyrium erlitten haben. Der Börsenverein hatte für mich alles vorbereitet: das Einreisevisum und die Flugkarte. Ich reiste als Gast der bundesdeutschen Botschaft im Staate Israel. Die Kulturreferentin der Botschaft hatte mich in Lod erwartet. Sie machte alles ganz einfach. Auch heute noch denke ich gern an ihre Umsicht zurück. Denn in der Tat: die Konstellation meiner Reise war überaus glücklich. Der siegreiche Staat Israel hatte plötzlich viele Freunde gefunden in der westlichen Welt. Andererseits war die Konstellation, wie gesagt, für mich selbst überaus ungünstig. Ein überlebender deutscher Jude soll hier als Sprecher für die Bundesrepublik Deutschland auftreten. Wie kann er das tun, wie kann er das wagen?

Man brachte mich in das sehr schöne und bequeme Dan-Hotel in Tel Aviv. Nun war ich am Mittelmeer. Einige Tage später konnte ich als Gast der Botschaft auch im Seebad Herzlija übernachten, das nach Theodor Herzl benannt war. Als ich am Strand die Badegäste betrachten konnte, die sich der Oktobersonne aussetzen durften, begriff ich zum erstenmal, wie absurd meine jahrelange Abneigung gewesen war, auch nur den Gedanken zuzulassen an ein Leben in einem jüdischen Staat: also, wie ich mir innerlich voller Unbehagen immer wieder vorgesagt hatte, »unter lauter Juden«. Hier zeigte es sich, daß die Wirklichkeit ganz anders aussah.

Im November 1995 erlebte ich in Jerusalem das reale Volk des Staates Israel. Eine Million Menschen, die nach Jerusalem gekommen waren, um den toten Itzhak Rabin zu betrauern und die Bestrafung seiner Mörder zu fordern. Auch dies war inzwischen, nach dem Aussehen, der Herkunft, der individuellen Tradition, eine »multikulturelle« Gemeinschaft. Trotzdem eine jüdische Gemeinschaft. Also beides zugleich. Das hatte ich zuerst in Herzlija begriffen an dem 14. Oktober 1968.

Der Große Saal der Loge Bne Brith war ausverkauft am 12. Oktober 1968. Es war eine wehmütige Freude gewesen, als ich erfuhr, daß ich eben dort sprechen sollte. Bne Brith: das war auch die Loge meines Vaters in Köln gewesen. Da gab es Rituale, die nicht weitergesagt werden durften. Eine Bruderschaft, die zusammensteht in guten und schlechten Tagen. Man ist unter sich, unter den »Söhnen des Bundes«, denn so lautet die deutsche Übersetzung des Logennamens.

Der Vortragssaal war seit langem ausverkauft, wie ich erfuhr. Freundliche Stimmung. Hier im Saal schien es mir keiner übelzunehmen, daß ich erst unter deutscher Schirmherrschaft den Weg nach Israel gefunden hatte. Deutlich war es zu fühlen, das Mitgefühl, und daß die Menschen im Saale nun vom Glück des Sieges zehren durften, den ihre Söhne und Brüder, denn meinen Vortrag hatten vorwiegend ältere Leute besucht, im Sechstagekrieg errungen hatten. Salman Schocken begrüßte mich nach dem Vortrag: ein Herausgeber jener inzwischen berühmt gewordenen sechsbändigen Kafka-Ausgabe. Der andere Herausgeber der Ausgabe, Max Brod, war auf Reisen. Ich bin ihm niemals begegnet. Übrigens wurde diese erste Kafka-Ausgabe, die man damals noch für eine Gesamtausgabe hielt, in jenen fernen dreißiger Jahren des Exils für wenige Schweizer Franken bei den Buchantiquaren im Zürcher Niederdorf verramscht.

Auch Baruch Kurtzweil war gekommen. Der aus Böhmen stammende Schriftsteller und Germanist lehrte in Tel Aviv an der orthodoxen Universität Bar Ilan, natürlich nicht deutsche Literatur, sondern jüdische Theologie. Als ein Verfechter der strengen jüdischen Gesetzlichkeit. Was ihn in scharfen Gegensatz bringen sollte zu seinem Antagonisten Gershom Scholem, der es gewagt hatte, die jüdische Mystik der Kabbala ernst zu nehmen.

In den Anfängen seiner Forschung, die unermeßliche Folgen haben sollte für ein heutiges Verständnis jüdischer Überlieferungen, muß Scholem wahrhaft einsam gewesen sein. In seiner schnoddrigen Berliner Art hat er mir das einmal berichtet. Da hatte er endlich, wohl in München, einen Rabbiner entdeckt, der die nahezu verschollenen mythischen Texte des »Sohar« und andere Traktate besaß und ausleihen konnte. Scholem erbat sich das Urteil des Gelehrten über seine theologischen Schätze. Die Antwort war verblüffend: Aber, mein Lieber, ich werde doch diesen Unsinn nicht auch noch lesen! Scholem lachte mit mir, als er das erzählte.

Am Morgen nach meinem Vortrag wurde ich, vorbereitet von der Botschaft, der Presse in Tel Aviv vorgestellt. Diesmal sprach die kluge und umsichtige Kulturreferentin der Botschaft die einleitenden Worte. Am Vorabend in der Loge war ich durch Herrn Dr. Kloke, dem Botschafter der Bundesrepublik Deutschland, vorgestellt worden.

An diesem Faktum entzündete sich sogleich ein heftiger Disput der Presseleute. »Wie konnten Sie als Jude....« Da kommt einer, der so viel gelitten und verloren hat durch die Nazis, gleich nach Kriegsende einfach nach Deutschland zurück! Er kommt nach Palästina und dann nach Israel erst als Gesandter eines westdeutschen Staates, der in seinen Anfängen so viele Antisemiten, Rassentheoretiker, Gewalttäter benutzt und beschützt hatte. Mit Recht wurden abermals die Namen Globke und Oberländer genannt.

Mit denen hätte ich also »gemeinsame Sache« gemacht.

In meinen Repliken verzichtete ich sowohl auf die Attitüde eines Angeklagten, der sich verteidigt, wie auf zornige Gegenangriffe. Ich nannte meine Lebensentscheidungen höchst persönliche Dezisionen, die an sich weder tadelnswert seien noch nachahmenswert. Entscheidungen eines deutschen Schriftstellers und Literaturwissenschaftlers. Überzeugt habe ich damals keinen meiner Angreifer.

Immer mehr wurde meine Reise zum Besuch eines Renegaten. Die Presse in Tel Aviv muß nicht gerade liebevoll über mich berichtet haben. Das spürte ich einige Tage später, bei meinem ersten Besuch in Jerusalem. Dort sollte ich, gleichfalls organisiert durch die bundesdeutsche Botschaft, einen Vortrag halten über ein Thema der deutschen Literatur. Ich hatte beschlossen, über Bertolt Brecht zu sprechen. Der war erst vor zwölf Jahren gestorben, im August 1956. Da man wußte, daß ich mit Brecht in Ostberlin zusammengearbeitet hatte, denn es stellte sich bei allen Fragen heraus, daß man ganz gut über mich Bescheid wußte, durfte ich auch in Jerusalem mit einem gut gefüllten Saal rechnen. Übrigens machte ich mir darüber kaum Gedanken. Jetzt fuhr ich also »hinaus« nach Jerusalem, um die Formel der Evangelien zu übernehmen. Von der Ebene des Mittelmeeres hinauf zu jener weltgeschichtlichen Hochebene, von welcher der mißmutige Sigmund Freud, Verfasser des Buches über die *Zukunft einer Illusion*, in seinem Briefwechsel mit Arnold Zweig behauptet hatte, aus dieser so weltberühmten Gegend habe die Menschheit nichts anderes erhalten als wirre Träume, Gebote und Verbote.

Ich habe diese zornige Ablehnung solcher »wirren Träume«, die man Judentum nennt und Christentum, niemals geteilt. Jener Nachmittag unter den uralten Bäumen des Gartens Gethsemane blieb unvergeßlich: aufrufbar in jedem Lebensaugenblick.

Den Tempelberg betrat ich nicht, auch später nicht bei den folgenden Besuchen in Jerusalem. Da gab es ein inneres Widerstreben. Das tut man nicht als Jude. Es bedarf keines ausdrücklichen Verbots. Ich hätte es auch niemals auf dem römischen Forum über mich bringen können, gleichgültig durch den Triumphbogen des Titus zu spazieren, weil die römischen Bildhauer dort gezeigt hatten, wie man den siebenarmigen Leuchter aus dem zerstörten Tempel abtransportierte.

Mein Brecht-Vortrag fand nicht vor einem gut gefüllten Saal statt. Da gab es keine Beschönigung mit Ausdrücken wie halbvoll oder halbleer. Er war gähnend leer. Vielleicht ein Dutzend Leute, größtenteils Mitarbeiter der Botschaft, außerdem zwei oder drei örtliche Organisatoren. Ich lieferte trotzdem meine Redeleistung ab, fast erheitert, sogar mit einer gewissen inneren Zustimmung. Recht geschah mir. Was hatte ich erwartet?

Vergessen hatte ich diese Episode jedoch nicht. Jahrzehnte später, in den achtziger Jahren, verhalf mir die Erinnerung daran zu einer boshaften Pointe. Das war in Belgrad. Dort war ich zum ersten Mal im Mai 1963 gewesen: kurz vor meinem Weggang aus Leipzig. Ich war ein Gast aus der DDR, für den die Botschaft, damals geleitet durch die Tochter Wilhelm Piecks, einen Empfang gegeben hatte. Viele Zeugnisse der Sympathie. Ich war aus Ljubljana und Zagreb gekommen, machte einen Tagesausflug mit dem Auto nach Novi Sad, bekam ein festliches Mittagessen auf der Burg von Peterwardein. Ich war dann auch in Sarajewo.

Als ich jedoch durch meinen Weggang aus Leipzig auch in Jugoslawien zum Renegaten geworden war, genau wie in Israel, und trotzdem eine Einladung dorthin annahm, diesmal als Gast des Goethe-Instituts, bekam ich es zu spüren. Natürlich weniger bei den Slowenen und den Kroaten. Wohl aber in Belgrad. Ich sollte meinen Vortrag in der dortigen Universität halten. Die Leute vom Goethe-Institut staunten andächtig. Einen Hörsaal in der Universität hatte man bisher allen ihren Gästen verweigert. Folglich war ich eine ehrenvolle Ausnahme.

Nicht so ganz indessen. Bei der Ankunft in der Universität wiederholte sich die Situation von Jerusalem im Jahre 1968. Ein leerer Saal gähnte mir entgegen. Einer der wenigen serbischen Germanisten spielte Trostlosigkeit. Es sei sehr schade, daß ausgerechnet zur Stunde meines Vortrags sämtliche Prüfungen abgehalten werden mußten.

Am Abend gab es dann einen Empfang in der bundesdeutschen Botschaft. Nun waren alle serbischen Fachkollegen gekommen und drückten ihr tiefes Bedauern aus.

Damals habe ich folgendes geantwortet: Meine Erfahrung in Belgrad habe mich sogleich an eine andere Erfahrung in Jerusalem erinnert. Starre Mienen der Gesprächspartner. Jerusalem! Ich erläuterte: »Meine Reise führte mich bisher von sehr schönen Erlebnissen in Ljubljana und Zagreb hierher nach Belgrad. Das war genau so wie damals bei der Fahrt von Tel Aviv nach Jerusalem. Tel Aviv ist eine heitere und lebensvolle Stadt. Doch in Jerusalem regieren die Rabbiner.«

Da ich folglich in Jerusalem weitgehend als anonymer Tourist behandelt wurde, nutzte ich die Chancen der Anonymität. Ich hatte mich nicht zu verantworten, wenn ich durch das Damaskustor ging und die Altstadt aufsuchte. Ich habe das alte Jerusalem damals sogar genauer betrachtet als beim monatelangen späteren Aufenthalt im Jahre 1979. Was mir bei diesem ersten Besuch auffiel, fand ich später stets von neuem bestätigt. Daß nämlich jenes Zentrum von drei Weltreligionen im äußeren Aspekt nur zwei von ihnen sichtbar zur Schau stellt: das Judentum und den Islam. Sieht man von jener belanglosen evangelischen Kirche ab, die Wilhelm II. gestiftet hat und die, schaut man vom Mount Skopus hinüber auf das alte Jerusalem, eine architektonische Störung bedeutet, so fehlt es, obenhin betrachtet, an eindrucksvollen Beziehungen christlicher Identität. Was nicht verwundern kann, denn welches Christentum wäre hier gemeint? In der Grabeskirche werden die Eigentumsverhältnisse der verschiedenen christlichen Institutionen sorgfältig voneinander abgehoben. Dies ist »mein« Revier, dort ist »dein« Revier.

Die bundesdeutsche Botschaft sorgte dafür, daß der Gast aus der Heimat sich nicht allzusehr grämen mußte über den Zustand seines Renegatentums. Er durfte ein paar Tage in Herzliya einen Urlaub am Meer verbringen, wobei er abermals selbstironisch festzustellen hatte, daß sein einstiger Instinkt der Abwehr beim Gedanken an ein »Leben unter lauter Juden« ganz ahnungslos gewesen war. Hier lagen sie nun am Strand, lauter Juden! Trotzdem eine ungeheuer divergierende Menschheit. Andererseits entdeckte ich bei dieser Gelegenheit, was sich bei allen späteren Reisen nach Jerusalem bestätigen sollte, daß dieses Volk der Juden, denn es ist eines!, aus einer fernen Antike in die Gegenwart hinübergekommen ist. Doch insgeheim ist es immer noch ein heutiges Zeichen für die Herkunft aus einer südlichen Welt. Vielleicht ist das in Deutschland und von den Deutschen so verächtlich abgelehnte »Reden mit den Händen« nichts anderes als ein Residuum einer südlichen Rhetorik.

Das wurde mir gleich nach der Weiterreise von Herzliya nach Haifa deutlich vor Augen gestellt. Nun war ich auf dem weltberühmten Berg Karmel. Ich sprach in der Universität, fand diesmal ein zahlreiches und freundliches Auditorium. Hier nämlich gaben, damals wenigstens noch, die »Jeckes« den Ton an, also die Emigranten aus Österreich-Ungarn und aus Deutschland. In Tel Aviv und in Jerusalem hatten sich die deutschen Emigranten, mit denen ich sprach, lustig gemacht, etwas gequält freilich, über die Jeckes von Haifa. Deren häufigste Redensart laute nämlich »Bei uns zu Hause ...«. Es gab, seit nunmehr zwanzig Jahren, den Staat Israel. Allein die Jeckes auf dem Karmel lebten nach wie vor in einem traumhaften Zwischenreich aus Abendland und Morgenland. Plötzlich begriff ich, daß Arnold Zweig, der hier gelebt hatte und dessen Briefe an Sigmund Freud hier geschrieben wurden, genau in jener Woche nach Europa zurückkehrte, als der Staat Israel gegründet und proklamiert wurde. Auch Louis Fürnberg hatte den Karmel verlassen, um nach Prag zurückzukehren, wo er nur mit Mühe und vieler Begnadigung dem stalinistischen Galgentod entgehen konnte.

Deutsche Schriftsteller, die hierher geflüchtet waren vor ihren Mördern, verloren die eigentliche Identität. Das war offensichtlich unvermeidbar. So hat es auch Wolfgang Hildesheimer empfunden, der nicht bleiben wollte. Wollte man jedoch bleiben, weil man die Entscheidung für Palästina für endgültig hielt, so verfiel man dem Leben im Anachronismus. Oder wohl eher: einem Leben in der Ortlosigkeit. Weder hier noch dort. So hat Werner Kraft in Jerusalem gelebt, ein Freund von Walter Benjamin und Gerhard Scholem. Ein deutscher Jude und Dichter im Staate Israel, der niemals über die stümperhaften Anfänge im Hebräischen hinauskommen sollte. Er war ein deutscher Dichter, auch hier in Israel, geblieben.

Am Vorabend meiner Rückreise gab die deutsche Botschaft in Tel Aviv ein schönes Abschiedsessen. Da waren viele gekommen, auch junge Israelis einer neuen Generation, mit denen Englisch gesprochen wurde. Auch Freunde aus Köln hatte man wiedergesehen, denen es gutging und die sich eine Doppelexistenz zurechtgelebt hatten zwischen Israel und der Bundesrepublik, zwischen Köln und Tel Aviv.

Als ich im Flughafen saß, war ich fest davon überzeugt, daß ich nun doch wohl genug gesehen hätte. Bei Fragen, ob ich von neuem zu Besuch kommen wolle, würde man ausweichend antworten müssen. Es ist dann ganz anders gekommen. Das zeigte sich freilich erst nach Ablauf eines Jahrzehntes.

III. Jerusalem 1979

Brot und Salz für Jimmy Carter

Mancherlei war zusammengekommen beim Entschluß, nicht noch einmal die sonderbare Rolle eines »Renegaten« spielen zu wollen. Renegat wovon? Auch mein Weggehen aus Leipzig, worauf die Stasi meine gesamte Habe konfiszierte, hatte nichts zu tun mit irgendeinem Renegatentum. Ich war kein Mitglied gewesen in der Sozialistischen Einheitspartei. Andererseits bedeutete meine Rückkehr nach Westdeutschland, von mir aus gesehen, keinerlei Absage an jene Erfahrungen, die mich im Jahre 1948 veranlaßt hatten, die Berufung an die Leipziger Universität anzunehmen. Natürlich war ich nunmehr, im Jargon der Geheimpolizisten, ein »Renegat«. Als man, in den neunziger Jahren, die Protokolle der Staatssicherheit einsehen konnte, stellte Inge Jens, die bisweilen einige Vorträge in der DDR gehalten hatte, nachträglich fest, daß auch sie unablässig observiert worden war. Da fand sich in einem Aktenstück die vorwurfsvolle Mitteilung: »Sie schrieb ein Buch über den Renegaten Hans Mayer.«

Nun auch noch der Vorwurf, als deutscher Jude und Gast der bundesdeutschen Botschaft als Renegat aufgetreten zu sein in einem Lande, das ein Jahr vorher einen Vernichtungskrieg in einen Eroberungskrieg hatte verwandeln können. Das hatte man mich nun sowohl in der Pressekonferenz zu Tel Aviv wie beim Besuch im leeren Hörsaal zu Jerusalem ausdrücklich spüren lassen.

Warum eigentlich? Ich war kein Zionist gewesen, hatte mich jedoch stets als Jude gefühlt und dargestellt. Mein Erinnerungsbuch trägt den Titel *Ein Deut-*

scher auf Widerruf, was heißen soll: meine Rückkehr nach Deutschland im Herbst 1945 war nicht als Rückkehr in eine Heimat zu verstehen, die es nicht mehr gab. Es war Rückkehr in die Fremde. War das aber ein »Verrat« am Judentum gewesen? Eine absurde Vorstellung, vermutlich nur zu erklären aus der Hybris militärischer Sieger und ihrer applaudierenden Medienleute. Das war nicht ernst zu nehmen. Trotzdem hatte es mich gewurmt.

Nach meiner Rückkehr aus Israel hatte es dann den Versuch eines zweiten Vernichtungskrieges gegeben. Am höchsten Feiertag, dem Jom Kippur, hatten die Feinde Israels durch Überraschung versucht, ein betendes und fastendes Volk doch noch zu vernichten. Es war abermals mißlungen, wenngleich unter größeren Opfern. Trotzdem: die Eroberungen konnten festgehalten werden. Als Pfand für künftige Verträge. Immerhin hatte sich auch eine im Jahr 1968 noch vorhandene Hybris gegenüber allem, was angeblich »deutsch« sei, wesentlich abgemildert.

Bei meinem ersten Besuch im Jahre 1968 war der Plan noch undenkbar, an der Hebräischen Universität zu Jerusalem möglicherweise auch die deutsche Sprache und Kulturgeschichte zu lehren und zu lernen. Zehn Jahre später erkannte man mit gutem Grund, daß – ohne irgendeine Vertuschung des Holocaust und seiner Ursachen – der Verzicht einer großen Universität, einen geschichtlich etablierten Teil moderner Kultur einfach ausgrenzen zu wollen, nur als unwissenschaftliche Geistesfeindschaft gedeutet werden mußte. Auch das Evangelienwort »Der Geist weht, wo er will« war das Wort eines Juden gewesen.

Seit den siebziger Jahren wurde also sowohl in

Israel wie auch in der Bundesrepublik Deutschland an der Gründung eines Germanistischen Instituts im Rahmen der Hebräischen Universität und ihrer Philosophischen Fakultät gearbeitet. Immer mehr stellte sich heraus, daß der Austausch diplomatischer Beziehungen mit der Errichtung von Botschaften in Bonn und Tel Aviv gerade in der Vorbereitung wissenschaftlicher und kultureller Beziehungen seine eigentliche Arbeitsgrundlage finden müsse. In der Bundesrepublik fanden sich sehr anerkannte Professoren und Dozenten deutscher Hochschulen zusammen als Vereinigung von »Freunden der Hebräischen Universität«. Es fehlte nicht an finanziellen Mitteln, auch nicht an der Bereitschaft, in Jerusalem als Lehrender zu wirken. Die wirkliche Schwierigkeit bildeten die im Grunde nicht vorhandenen Studenten.

Die Generation der eingewanderten Jeckes alterte dahin. Ihre Kinder waren bereits im Lande geboren und mit allen Wirklichkeiten dieses Landes aufgewachsen. Sie hatten in den Kriegen mitgekämpft, doch mehr als ein bißchen Radebrechen deutscher Sprache im Umgang mit der älteren Generation war nicht zu erwarten. Andererseits waren die Jungen alle aufgewachsen mit dem Englischen als zweiter Landes- und Umgangssprache. Dadurch konnte man sich verständigen mit den vielen frühen Einwanderern nicht nur aus Europa und lange vor dem Holocaust. Die frühen Einwanderer waren in Palästina mit einem englischen Protektorat konfrontiert worden, das im Auftrag des Völkerbundes zu Genf administriert wurde. Der Professor William E. Rappard vom Genfer Hochschulinstitut für internationale Studien, der mich so hilfreich unterstützt hatte in der Zeit des Exils, war gleichzeitig einer der offiziellen Protektoren in Palästina.

Wie sehr sich die Schwierigkeiten bei Gründung des Germanistischen Instituts in Jerusalem von allen analogen Schwierigkeiten anderer Universitätsgründungen unterschieden, wurde gleich in den ersten Tagen meines zweiten Besuchs in Jerusalem deutlich. Das war Ende Januar des Jahres 1979. Ich hatte eine Einladung des Präsidenten der Hebräischen Universität erhalten. Man lud mich ein, zwischen Januar und März ein Semester lang als Gastprofessor für deutsche Literatur und Kulturgeschichte zu arbeiten. Ich nahm die Einladung mit großer Freude und Neugier an. Hier war nun keine Rede mehr von meinem Renegatentum. Im Gegenteil hatte es offenbar, wie sich später herausstellen sollte, eingehende Beratungen sowohl in der Bundesrepublik wie in Israel darüber gegeben, daß es besonders günstig sei, als ersten Gastprofessor einen Fachmann einzuladen, der beides sein würde: deutscher Professor und Jude. Genau so hatte auch ich die Einladung an mich gedeutet.

Zweierlei kam hinzu: gleichsam als glückliches Vorzeichen meiner zweiten Reise. Daß man nämlich an der Hebräischen Universität selbst eine einzigartige Möglichkeiten gefunden hatte, den eigentlichen germanistischen Lehrstuhl mit einem vorzüglichen jüdischen Fachmann besetzen zu können: mit Stéphane Mosès. Das zweite glückliche Vorzeichen, von unschätzbarem Wert, wie sich herausstellen sollte, war eine Bekanntschaft, die ich in den frühen siebziger Jahren fast zufällig gemacht hatte. Als Begegnung mit einem großen Menschen und Gelehrten, der in einzigartiger Weise die beiden Elemente einer deutsch-jüdischen Existenz verwirklicht hatte: Gerhard Scholem aus Berlin, der bereits zu Beginn der zwanziger Jahre in Palästina eingewandert war und seitdem den Namen Gershom Scholem zu tragen beschloß.

Auch die Familie Mosès stammte aus Berlin. Die beiden kleinen Söhne waren mit den Eltern rechtzeitig geflüchtet. Sie wollten nach Frankreich, allein, dort hatten die Behörden sie nicht auf die Dauer behalten wollen. So gelangten sie ins damals noch französische Marokko. Die beiden Jungen, Stéphane war der ältere, wuchsen im Grunde zweisprachig auf. Das Deutsche im Familienkreis, das Französische innerhalb der neuen Umwelt. Es handelte sich um eine Familie »frommer Juden«, wie der innerjüdische Ausdruck zu lauten pflegte. Man hielt sich streng an die biblischen Gebote und Verbote. Was bedeuten sollte, daß man alle diese sakralen Texte im hebräischen Original lesen konnte. Als Stéphane Mosès später die Berufung an die Hebräische Universität erhielt, machte es ihm kaum Schwierigkeiten, das im Land geläufige Neuhebräisch zu erlernen.

Vorher jedoch hatte Stéphane Mosès, dieses Emigrantenkind aus Berlin, das in Nordafrika aufwuchs, eine erstaunliche Leistung vollbracht. Der junge Stéphane Mosès bewarb sich in Paris um die Zulassung zur weltberühmten Ecole Normale Supérieure in der Rue d'Ulm. Das war die große Schule französischer Kulturwissenschaft. Eine Gründung noch aus der Jakobinerzeit. In unserem Jahrhundert hatte es dort junge Studenten gegeben mit Namen wie Henri Bergson, Jean Giraudoux, Léon Blum, Jean-Paul Sartre, Pierre Bertaux oder Georges Pompidou. Nun gab es auch einen »Normalien« mit Namen Stéphane Mosès.

Die Arbeiten von Gershom Scholem waren mir im Grunde seit meiner Exilzeit in Paris gut bekannt. Wir assoziierten Walter Benjamin ebenso mit seinem Freund Gershom Scholem, wie man die beiden Namen von Max Brod und Franz Kafka miteinander zu verknüpfen pflegte. Nach dem Krieg wurde Scholem als einer der Herausgeber des Nachlasses von Walter Benjamin allgemein bekannt. Ich erinnerte mich auch aus meiner Exilzeit daran, daß sich Gershom Scholem, der früh schon ernst gemacht hatte mit dem Zionismus, von Jerusalem aus polemisch gegen Max Horkheimer und seine Thesen über *Die Juden und Europa* gewandt hatte. Im Briefwechsel zwischen Scholem und Benjamin kann man das heute genauer nachlesen.

Auch Scholems Rede vom 4. August 1966 war mir wohlbekannt. Er hatte in Basel, zusammen mit Golo Mann, auf der Fünften Tagung des Jüdischen Weltkongresses zum Thema »Deutsche und Juden« gesprochen. Sehr skeptisch und mit entschiedener Ablehnung irgendeiner Renaissance der einstigen deutsch-jüdischen Symbiose. Ein gleichnamiges Taschenbuch der edition suhrkamp hatte 1967 die Texte jener Tagung in Basel zugänglich gemacht.

Ihn selbst aber, den ebenso »schwierigen« wie einfach-heiteren Mann, lernte ich dann erst in einem Sommer der früheren siebziger Jahre im Oberengadin kennen. Wir wohnten im selben Hotel. Gemeinsame Freunde aus Zürich vermittelten die Bekanntschaft. Der Philosoph und Theologe Gershom Scholem war Ehrendoktor der Zürcher Universität. Damit war eine Beziehung hergestellt, die unmittelbar zu meiner Einladung nach Jerusalem führen sollte. Gershom Scholem war der erste Präsident einer Israelischen Akademie der Wissenschaften gewesen. Sein Wort galt viel im Lande. Das spürte ich im Januar 1979; gleich nach der Ankunft wurde ich vom Präsidenten der Hebräischen Universität empfangen. Kurz darauf gab es einen Empfang bei Jitzhak Navon, dem damaligen Präsidenten des Staates Israel.

Die erste Hebräische Universität war von den Zionisten auf dem Mount Skopus errichtet worden. Nach dem Krieg mit den arabischen Nachbarn, der ausgelöst wurde durch die Staatsgründung im Jahre 1948, war der Mount Skopus an Jordanien gefallen. Man zerstörte alle Gebäude der jüdischen Hochschule.

Im Jahre 1979 befand sich die neu errichtete Universität auf dem Hügel Giwat Ram, in unmittelbarer Verbindung mit dem Gebäude der israelischen Nationalbibliothek. Ich bin auch heute noch der Meinung, daß die Universität auf Giwat Ram viel schöner wirken konnte als später, nach ihrer Rückkehr auf den Mount Skopus. Freilich konnte man vom Mount Skopus, wie ich es dann bei den Reisen von 1983 und 1995 erleben durfte, hinunterschauen auf die Gesamtheit des alten Jerusalem mit der goldenen und silbernen Kuppel der beiden Moscheen, in der weiten Landschaft, die beides war: heiter und sakral.

Auch die Ausblicke von Giwat Ram aus waren schön und beziehungsvoll. Man schaute hinüber zum herausragenden Gebäude der Knesset, also zum Parlament und eigentlichen Mittelpunkt des Staates Israel. Ein »Regierungsviertel« im Sinne der großen europäischen Hauptstädte gibt es nach wie vor nicht. Das hängt, wie es sich versteht, mit dem unklaren völkerrechtlichen Status von Jerusalem zusammen.

Man hatte mich im Gästehaus der Universität untergebracht. Es trug den Namen Beth Belgia. Die belgische Königin Fabiola hatte es gestiftet. Dort habe ich jenes Frühjahressemester des Jahres 1979 zubringen dürfen. Da ich 1974 bereits emeritiert worden war an der Universität Hannover, konnte ich mich ganz der gemeinsamen Arbeit mit Stéphane Mosès und seinen Studenten widmen. Es gab viel zu tun.

Die Bilder von Giwat Ram sind bis heute nicht verblaßt. Ein weites und schönes Gelände mit viel Bäumen und Blumenbeeten. Eines davon, ein besonders schönes, war dem Andenken an Anna Freud gewidmet. Henry Moore hatte eine seiner großen Plastiken gestiftet. Für viele bedeutende Menschen in der Welt war diese Universität zu Jerusalem ein wichtiges und erwünschtes geistiges Zentrum. Das zeigte sich bald in diesem Frühjahr 1979, als man in Jerusalem die Erinnerung an Albert Einstein aus Anlaß seines hundertsten Geburtstages feiern konnte.

Die Welt Gershom Scholems

Spricht man von der »Welt Gershom Scholems«, also nicht bloß von der innerweltlichen Existenz eben dieses Gershom Scholem, sondern gleichsam von seiner Welt als einem besonderen und eigentümlichen Kosmos, so hat man damit, durchaus bewußt, an Marcel Proust erinnert. In betont manieristischer Schreibweise hatte er die erste Teilüberschrift für seinen riesigen epischen Kosmos formuliert. *Du Côté de chez Swann*. Die deutsche Übersetzung formulierte *In Swanns Welt*. Charles Swann war ein reicher Jude in Paris zur Zeit der Affäre Dreyfus. Die antisemitischen Aristokraten vom Jockey-Club mochten ihn sehr und hatten sich die Ausrede zurechtgelegt, er sei vermutlich ein uneheliches Kind aus königlichem Blut. Die Welt von Swann, für den Erzähler Marcel, und damit für den Erzähler dieses Marcel, nämlich Marcel Proust, tief bewegend, war eine zwiespältige Welt. Man gehörte gleichzeitig dazu und nicht dazu.

In ähnlicher Weise könnte hier auch von der »Welt Gershom Scholems« gesprochen werden. Natürlich gehörte er hier dazu, in Jerusalem, und auch wieder nicht. Er war beides geworden und geblieben: ein großer jüdischer Gelehrter *und* ein deutscher Berliner aus den Anfangsjahren unseres Jahrhunderts. Es gibt einen schönen Bericht über jenen jungen Philosophie-Studenten Gerhard Scholem. Eine damalige Kommilitonin hat mir darüber berichtet. Das war in München und im Jahre 1915. Der Student Scholem konnte wahrlich nicht als kriegs- oder auch nur garnisonverwendungsfähig gelten. Das sah jeder, der den hochgewachsenen, aber dürren Mann ansah: auch noch im Alter. Kant-Seminar in der Münchener Universität. Gerhard Scholem muß als Junger bereits durch Spott und Hochmut verärgert haben. Daran sollte sich nichts ändern. Um so erstaunlicher, daß er plötzlich im Seminar mit höchster Aufmerksamkeit dem Referat einer jungen Kommilitionin zuhörte. Er geht auf sie zu. Es beginnt eine rege Zeit der Gespräche und der philosophischen Anregungen. Die Studentin hatte auch im hohen Alter noch herzlich und begeistert davon berichtet. Sie hieß Käte Hamburger. Es ist schön, an diesen Bericht zurückzudenken. Es war gleichsam, den beiden unbewußt, eine späte Krönung jüdischer Symbiose innerhalb jener bald darauf gescheiterten deutsch-jüdischen Symbiose.

Was war er eigentlich, vom spezifischen Fach her gesehen, dieser Gershom Scholem? Ein Philosoph natürlich, ein genauer Kenner gerade auch der riesenhaften jüdischen Philosophie in hebräischer Sprache. Nicht allein die von den Rabbinern offiziell anerkannten Schriften des Talmud und der vielseitigen Kommentare hatten es ihm angetan. Neben der jüdischen Scholastik, das wußte der junge Gerhard Scholem, hatte es auch eine jüdische Mystik gegeben. Konzentriert im Buch der Kabbala. Mit jener freilich wollte ein anständiger Rabbiner nichts zu tun haben. Scholem hat mir einmal lachend erzählt, wie es ihm endlich gelungen war, das sehr seltene Exemplar einer nahezu unbekannten kabbalistischen Schrift in der Bibliothek eines deutschen Rabbiners zu entdecken. Er bat den Besitzer inständig, ihm das Buch zu verkaufen. Was auch bereitwillig zugestanden wurde. Dann fragte der junge Scholem den älteren Kollegen, wie er denn jenes Buch inhaltlich beurteile. Die Antwort war überraschend: »Aber ich werde diesen Unsinn doch nicht auch noch lesen!« Da war Scholem ganz anderer Meinung. Er hat einen großen Bereich jüdischen Denkens neu entdeckt und sichtbar gemacht. Das hat man ihm niemals vergessen.

Da ich selbst, nach einem spärlichen Religionsunterricht, keinerlei Verbindung mehr aufnahm zur Welt der jüdischen Wissenschaft, war mir die eigentliche Existenz Gershom Scholems nicht wirklich verstehbar geworden. Ich fragte ihn einmal, wie er selbst, fachlich gesprochen, sein Wirken benennen möchte. Er sah mich erstaunt an. Das war für ihn eine dumme Frage. Die Antwort kam rasch: »Ich bin ein Theologe.«

Menachem Begin und Jimmy Carter

Ich war in einem Augenblick merkwürdiger politischer und ideologischer Wandlungen als Gastprofessor nach Jerusalem gekommen. Es wird notwendig sein, diese Konstellation ins Gedächtnis zu rufen. Da sollte sich etwas in günstiger Weise ändern, wenngleich die politischen Anzeichen eher das Gegenteil befürchten ließen.

Man hatte sich, nicht allein in der sogenannt westlichen Welt, daran gewöhnt, bei allen Verhandlungen mit dem Staate Israel eben diesen Staat nahezu gleichzusetzen mit den politischen Programmen der israelischen Arbeiterpartei. Die im Westen vielgenannten Namen von David Ben Gurion, Golda Meir, Moshe Dayan oder Jitzhak Rabin wurden von Mitgliedern der Arbeiterpartei getragen. Die Anfänge des Staates Israel standen nach wie vor im Zeichen der Kibbuzim, also der sozialistischen oder sozialdemokratischen Strömung des Zionismus im Rahmen der II. Internationale. Die Partei des armen ostjüdischen Proletariats, die sich »Der Bund« nannte, war für Lenin und die Seinen ein Ärgernis gewesen. Das hatte sich nach der Oktoberrevolution als Repression ausgewirkt. Die zionistischen Sozialdemokraten waren für den späteren Sowjetstaat einfach nichts anderes als Menschewiki. Von diesem Standpunkt aus wird man vermutlich auch heute noch das Verhalten sowjetischer und später russischer Politik gegenüber dem Staate Isreael interpretieren müssen.

Zu Anfang des Jahres 1979 jedoch wurde der Staat Israel nicht mehr von der Arbeiterpartei regiert. Die weitgehend noch sozialistische Planwirtschaft der Kibbuzim hatte sich immer mehr, nicht zuletzt als Folge starker amerikanischer Einwanderung nach den zwei siegreichen Kriegen, in eine Rezeption des westlichen Kapitalismus gewandelt. In dem Maße aber, wie sich das ursprünglich zionistische Konzept der frühen Einwanderer in Palästina im gesellschaftlichen Alltag abschwächte, verstärkte sich, gerade in der Stadt Jerusalem, der Einfluß eines fast anachronistisch wirkenden orthodoxen Sakraldenkens. Die Gründer des Staates Israel, geleitet von Chaim Weizmann, also einem bedeutenden Vertreter moderner

Wissenschaft, hatten eine Mischform aus sozialistischer und sehr bürgerlicher kapitalistischer Lebensform angestrebt. Das politische Leben wurde nach dem Vorbild westlicher Demokratien organisiert. Gewaltenteilung mit der besonderen Akzentuierung durch ein mächtiges Verfassungsgericht. Vielheit der Parteien und strenge Beachtung der Freiheitsrechte im öffentlichen Leben. Allein, im selben Maße wie die sozialistischen oder solidaristischen Elemente in Wirtschaft und Gesellschaft des Staates zurückgedrängt wurden, erfolgte gleichzeitig eine Stärkung jener Strömungen in der Bevölkerung, die den Staat der bürgerlichen Demokratie zurückverwandeln wollten in den – angeblichen – Gottesstaat aus den Anfängen unserer Zeitrechnung. Hier entstand, sehr laut verkündet von einflußreichen Israelis und Politikern zu Beginn des Jahres 1979, die gefährliche und politisch unhaltbare These von einer Renaissance der biblischen Königreiche Judäa und Samaria. Man hatte in den beiden Eroberungskriegen wesentliche Bereiche des einstigen Samaria nunmehr okkupiert. Vergessen war das historische Faktum, daß Samaria nicht erst in Babylon am Euphrat zugrunde ging, sondern daß die biblischen Bücher der Könige demonstrieren konnten, daß das Königreich Samaria im geistigen Sinne dem Judentum längst entfremdet worden war.

In dieser geschichtlichen Konstellation hatten die isrealischen Parlamentswahlen eine politische Wende herbeigeführt. Die Arbeiterpartei mußte in die Opposition gehen. Die konservative Partei des Likud bildete eine neue Regierung unter Menachem Begin. Ihre parlamentarische Mehrheit war jedoch nur gesichert durch die Unterstützung jener orthodoxen Gruppierungen, die einerseits die Gründung des Staates Israel als Gotteslästerung bezeichneten, andererseits aber sich in diesem von ihnen mißachteten Staat gut einrichten wollten. Die theologische Konstruktion war einwandfrei: Es steht geschrieben, daß das Königreich Israel erst wieder erstehen wird, wenn der neue Moses erschienen ist, der Moschiah. Der Moschiah ist nicht erschienen, also...

Eben diese innerpolitische Konstellation muß man sich, von heute aus gesehen, in Erinnerung rufen, um zu begreifen, was eben jener Ministerpräsident Menachem Begin in jenen ersten Monaten des Jahres 1979 an politischer Weitsicht und Kühnheit des Konzeptes zu leisten vermochte.

Dabei kam ihm eine glückliche Konstellation der amerikanischen Politik zu Hilfe. Genauer gesagt: gerade die mußte ihn zu einem wesentlichen Umdenken veranlassen. Im Turnus des amerikanischen Parteiendualismus zwischen Republikanern und Demokraten hatte es im Jahre 1976 eine Ablösung der langjährigen republikanischen Präsidentschaft durch einen noch unerprobten, aber interessanten und vorerst erfolgreichen demokratischen Präsidenten gegeben. Die Zeiten jenes Wahlkampfes waren vorbei, wo die hochmütige republikanische Presse den Präsidentschaftskandidaten mit der Frage: »Jimmy... who?« (Jimmy: Wie war doch noch der Name?) verspottet hatte. Der Name Carter war nunmehr mit dem Amt eines Präsidenten der USA verbunden. Unter Richard M. Nixon hatte sich die amerikanische Außenpolitik zu einer kühnen Annäherung an China entschlossen. Das war eine Sensation gewesen. Dabei hatte man im Weißen Haus die Lage im Nahen Osten eher routinemäßig ablaufen lassen. Die arabischen Feinde waren nun einmal Feinde.

Mit Israel war man befreundet. Das würde so bleiben müssen.

Es konnte nicht so bleiben, denn zwei unerwartete Ereignisse hatten alles verändert, sämtliche bisherigen Richtlinien verwirrt.

Einmal die Entdeckung der Ölvorkommen in Arabien und Mesopotamien. Aus kleinen Staatsgebilden einstiger Scheichs, die man ruhig mißachten konnte, waren neue Weltmächte von Ölscheichs geworden. Die zweite unvorhersehbare Wendung war vermutlich eine Folge sehr »klug« agierender französischer Diplomatie, die sich bald darauf als schreckliche, fast törichte Selbsttäuschung offenbaren sollte. Angesichts der neuen Ölproblematik nämlich wollte man in Paris die Arroganz des kaiserlichen Ölbeherrschers zu Teheran bestrafen. Reza Pahlevi sollte weg. Man brauchte einen Strohmann für eine neue republikanische Übergangszeit. Man entdeckte den Emigranten Ayatollah Khomeini, bereitete ihm den triumphalen Rückflug vor nach Persien. Das weitere ist bekannt.

Nur aus diesem Zusammenhang ist zu verstehen, daß der neue amerikanische Präsident Jimmy Carter einerseits erfolgreich war in Jerusalem. Daß er andererseits seine Wiederwahl im November dieses Jahres 1979 verlor, als es ihm nicht gelang, die von Khomeini im Hilton-Hotel zu Teheran als Geiseln festgesetzten Amerikaner rechtzeitig vor dem amerikanischen Wahltermin zu befreien.

Jimmy Carter hatte umdenken müssen in der Außenpolitik des Weißen Hauses. Die einstigen und jetzigen Feinde Israels mußten sehr ernst genommen werden. Gleichzeitig hatten die beiden kriegerischen

Niederlagen gegen Israel in dem wichtigsten Feindstaat Ägypten gleichfalls zu einem Umdenken geführt. Der General Nasser, der Besiegte im Krieg von 1967, war gestorben. Sein Nachfolger Anwar-el-Sadat wollte auf keinen Fall einen dritten verlustreichen Krieg führen. Schon gar nicht mit irgendwelcher Hilfe aus Teheran mit der Verpflichtung, das Land am Nil in einen islamischen Gottesstaat zu verwandeln.

So kam es zu dem Besuch Jimmy Carters nicht nur in Tel Aviv, sondern gerade auch in Jerusalem. Er fuhr hinauf in die Höhenstadt. Am Eingang zur Stadt empfing man ihn in zeremonieller Weise mit der biblischen Gabe. Brot und Salz für den Gastfreund.

Der Weg nach Camp David

Die Fernsehbilder vom Jahre 1979 stehen mir noch genau vor Augen. Vom Hügel des Giwat Ram schaute man hinüber zum Gebäude der Knesset, wo der amerikanische Präsident zu einer abendlichen Sitzung erwartet wurde. Der Fernseher in meinem Gastzimmer im Belgischen Haus verfolgte jeden Augenblick des Besuches und des Besuchers. Carter wurde vom Parlamentspräsidenten zeremoniell empfangen. Er nahm als Gast auf der Ministertribüne Platz. Die Reporter und die Kameramänner ließen sich keine Episode entgehen. Carter war sich genau der Schwierigkeit dieser Verhandlungen bewußt. Er hatte geheime Verhandlungen geführt mit Kairo und dem ägyptischen Präsidenten. Er hatte Angebote zu überbringen, die einen Frieden zwischen den einstigen Kriegsgegnern denkbar erscheinen ließen. Das ägyptische Regierungssystem stellte dem Präsidenten in Kairo genügend Vollmachten zur Verfügung. In Israel hingegen gab es eine parlamentarische Demokratie mit vielen Splitterparteien, von denen einige sogar noch als Partei eines einzigen Parlamentariers mit zu entscheiden hatten. Da mußte unmittelbare Überzeugungsarbeit geleistet werden. Was in der Tat möglich war und sein konnte, weil die Zwergparteien neben den beiden Blöcken der Arbeiterpartei und des Likud nicht durch Lobbyisten zu Befehlsempfängern wurden, sondern von Abgeordneten mit eigener Überzeugung, bisweilen auch mit Überzeugungen eines starren Vorurteils vertreten wurden.

Zum ersten Male erlebte ich vor dem Bildschirm die Auswirkungen eines jüdischen Eroberer-Nationalismus. Eines Auftrumpfens gegenüber dem »Rest der Welt«, das ebenso bedenklich war wie anmaßend, wenn man die Dimensionen und Möglichkeiten des Staates Israel mit denen seiner erbitterten Feinde verglich.

Da muß Jimmy Carter auf seiner Ministerbank zusehen, wie eine stattliche Frau und Abgeordnete mit Namen Gyula Cohen entschlossen versucht, die Rolle einer neuen Judith zu spielen. In heftiger und gebärdenreicher Rede widersprach sie allen Vorschlägen eines Einlenkens mit den einstigen Kriegsgegnern. Auch sie beschwor, wie einstmals der erste deutsche Bundeskanzler, einen »Abgrund von Verrat«. Die Abgeordnete Cohen hatte offensichtlich die parlamentarische Sprechweise verletzt, denn sie wurde vom Vorsitzenden zur Ordnung gerufen. Das focht sie nicht an. Sei wurde ersichtlich immer ausfälliger. Nun freilich gab es die rote Karte. Sie wurde von der Sitzung ausgeschlossen.

Was nun geschah, sehe ich noch genau vor mir. Ein würdiger alter Parlamentsdiener näherte sich der eifernden Frau und redete ihr, die nicht zuhörte, gut zu. Etwa in dem Sinne: »Komm, Gyula, mach uns keine Zores!« Nun erhob sich die Abgeordnete und schritt würdevoll hinaus. Die Kamera hatte Jimmy Carter keinen Augenblick vergessen. Der lächelte nicht, beileibe nicht, doch seine Augen waren heiter. Er war nun einmal ein gelernter Demokrat und kannte sich aus bei solchen Episoden.

Dann vertagte sich die Knesset zu einer Nachtsitzung unter Ausschluß der Öffenlichkeit. Ich sehe Carter noch im Bild, wie er sich von seinen Begleitern verabschiedet, um den Saal mit der geschlossenen Sitzung zu betreten. Er war locker und gelassen. Daß der Ausgang seiner Mission in Frage stand, war ihm durchaus bewußt.

Einige Tage später wurden, was in Jerusalem unvermeidbar ist, viele Einzelheiten der geheimen Sitzung bekannt. Jimmy Carter muß sehr ruhig und überzeugungsvoll agiert haben. Er hörte jedem Einwand zu und brachte Argumente, die vor allem aus Informationen bestanden. Am nächsten Tag wurde bekannt, daß man den amerikanischen Präsidenten ermächtigt hatte, mit Ägypten auf der Grundlage seiner eigenen Vorschläge und der Vorschläge aus Kairo zu verhandeln. Dann kam es zu dem für unvorstellbar gehaltenen Besuch des ägyptischen Präsidenten im Staate Israel. Sadat mußte ihn mit dem Leben bezahlen.

Menachem Begin hatte offensichtlich gespürt, wie sehr die Mehrheit des jüdischen Volkes diese Friedensmöglichkeit begrüßte. Er entschied sich für die Meinung dieser »realen Demokratie«, wodurch er sich viele Gegner machte in seiner eigenen Partei, dem Likud. Begin hat ein schweres und opfervolles Leben führen müssen. Er starb in Einsamkeit und offenbar tiefer Depression. Damals aber, zu Beginn des Jahres

1979, hat er vieles möglich gemacht. Freilich auch viele Gegensätze von damals noch verschärft. Der Sohn jener Gyula Cohen, stolz auf seine Mutter, gründete kriegerische Männergruppen, die nicht verhandeln, eher noch ein bißchen weiter erobern wollten. Judäa und Samaria. Erbitterte Moslems haben den ägyptischen Präsidenten Anwar-el-Sadat umgebracht. Jüdische Mörder töteten den Ministerpräsidenten Jitzhak Rabin. Die Gräber von Begin und Rabin liegen nahe beieinander.

Als am 6. November 1995 die Vertreter nahezu aller Staatswesen auf unserem Planeten an der Trauerfeier für den ermordeten Ministerpräsidenten des Staates Israel teilnahmen, zeigte es sich, daß es, trotz allem, einen geraden Weg der Entspannung gab, gegeben hatte. Jimmy Carters Besuch stand am Beginn. Dann das Abkommen von Camp David. Der amerikanische Präsident Bill Clinton durfte weiterführen, was damals begonnen hatte.

Es war schön und auch folgerichtig, daß innerhalb der Berichterstattung der Medien von jener Trauerfeier im November 1995 immer wieder der Trauergast Jimmy Carter sichtbar wurde. Er wurde mit besonderer Hochachtung und Dankbarkeit empfangen. Man hatte nichts vergessen: auch das Gute nicht. Carter selbst, soweit ich mich erinnere, war taktvoll genug, an jene Episoden von 1979 nicht zu erinnern. Man wußte es ohnehin.

In Galiläa

Das Wintersemester an der Hebräischen Universität dauerte bis zum Frühlingsanfang. Insgesamt jedoch war es, für einen Mitteleuropäer, bereits der reine

Frühling gewesen. Begeistert teilte Gershom Scholem immer wieder mit, er habe seit Anfang Februar jeden Morgen seine geliebten frischen Erdbeeren genießen können. Man hatte Zeit, neben den Seminaren und Fachgesprächen in der Universität, ins Land zu fahren und ungewohnte Konstellationen zu beobachten.

Man hatte mir bei meiner Ankunft einen ausgezeichneten Adlatus vorgestellt, der alles in einem sein sollte und auch konnte: Sekretär, Übersetzer, Student, Assistent, Autofahrer. Er sprach gut Deutsch, war bereits in Palästina zur Welt gekommen. Seine Eltern lernte ich auch kennen. Sie waren Mitteleuropäer mit deutscher Umgangssprache, offenbar vertraut mit den Überlieferungen der Arbeiterbewegung.

Da ich bei meinem ersten Renegatenbesuch im Jahre 1968 schon einmal, auf Vorschlag der Deutschen Botschaft, durch die Wüste nach Jericho gefahren war und ans Tote Meer, schlug mir diesmal mein Berater vor, mit seinem Wagen nicht auf der modernen Schnellstraße zum Toten Meer zu fahren, sondern auf der alten Römerstraße. Das ergab eine völlig veränderte Landschaft. Man erlebte die tiefen Schluchten und Abgründe innerhalb der Wüstenszenerie. Ganz tief unten eine christlich-orthodoxe Basilika. Auch das Erlebnis des biblischen Berichtes vom guten Samariter, eigentlich Samaritaner, wurde auf dieser neuen Fahrt jäh verstehbar. Da war ein Mann nach Jericho gegangen, nämlich durch die Wüste. Er fiel unter die Räuber. Das müßte hier irgendwo geschehen sein. In der Tat, ein unangenehmer Vorfall.

Die aufragenden Zacken des Gebirges am Rande des Toten Meeres wurden immer noch mit dem biblischen Namen der Stadt Sodom in Verbindung gebracht. Hier lag das also. Die Engel vom Himmel hatten die Familie des Lot retten wollen. Sie selbst, die stattlichen Engel, mußten durch ihren Gastfreund Lot vor dem erotischen Drängen der Sodomiter geschützt werden. Da flüchtete man aus der Stadt. Dann fiel das Feuer vom Himmel.

Bei meinem vierten Besuch in Jerusalem, wovon noch zu sprechen sein wird, kamen wir, im Seminarraum der Hebräischen Universität, diesmal auf dem Mount Skopus, auf jene biblische Episode zu sprechen. Unser Seminarthema war dem *Faust* gewidmet. Da tauchten sie plötzlich wieder bei Goethe auf in *Faust II*. Stattliche Engel erschienen, um das unsterbliche Teil des toten Faust vor dem Teufel zu retten. Er wird tief erotisch bewegt, wie einstmals jene Sodomiter durch die männliche Engelsschönheit.

Sehr merkwürdig war das Wiedersehen mit Bethlehem. Beim ersten Besuch hatte die Geburtsgrotte mit ihrer Ikonenhäufung keinen angenehmen Eindruck gemacht. Zu viel Werbung der in sich nicht immer einigen christlichen Sektionen. Beim zweiten Besuch, elf Jahre später, wurde gerade in den verborgenen Grotten unterhalb der Kirche meine Einbildungskraft angeregt durch das in diesem Lande nun einmal unvermeidbare Nebeneinander von Goldener Legende und nachprüfbarer geschichtlicher Wirklichkeit. Die Geburt des Messias mußte folgerichtig in Bethlehem situiert werden. Es stand geschrieben, daß der Messias aus dem Hause Davids kommen werde. Der spätere König David aber, Sohn des Isai, stammte aus Bethlehem. Jesus aber wurde stets mit Nazareth in Verbindung gebracht.

Sonderbar jedoch: unweit der Geburtsgrotte in Bethlehem, neben vielen Grotten späterer christlicher

Eremiten, gab es eine Grotte, die mit dem Leben und Namen des Kirchenvaters Hieronymus verbunden war. Der Schriftgelehrte Hieronymus aus Stridon in Dalmatien hatte sich in Bethlehem eingenistet, um die griechischen Evangelien in die lateinische Umgangssprache zu übersetzen. So entstand jene Vulgata, die recht eigentlich im Römischen Reich, dann im frühen Mittelalter, das Christentum zur Weltreligion machen sollte. Hier war es doch wohl in der Tat entstanden, das Werk des Hieronymus. Hieronymus im Gehäus'. Albrecht Dürer.

Dann sind wir nach Galiläa gefahren. Mein Berater war sichtlich erpicht darauf, mich mit den Drusen bekannt zu machen. Von denen hatte man in Europa immer nur vages Gerede erfahren können. Sie seien eine Art Urvolk aus Palästina, doch jenseits von Judentum und Christentum. Allein, im Gegensatz zur arabischen Welt lebten sie in Frieden und guter Gemeinschaft mit dem Staate Israel.

Es mußte wohl so sein. Ich sehe mich im Norden von Israel, in Galiläa, als Gast einer Drusenfamilie. Mein Begleiter ist gut bekannt im Hause, wird herzlich aufgenommen. Da fehlt es an aller Unterwürfigkeit. Ein Gastfreund. Ich werde gut aufgenommen als Freund des Gastfreundes. Schöne Früchte und reizvolles, ungewöhnliches Backwerk. Die herrlichen Fruchtsäfte auch hier.

Mir wird, obwohl ich gar nicht gefragte hatte, ein bißchen vom Glauben der Drusen erzählt. Da gäbe es einen geheimen Propheten, von dem nichts ausgesagt werden dürfe. Eine Geheimlehre? Sie muß wohl gültig sein, denn sie hält die Drusengemeinschaft nach wie vor zusammen.

Wir wurden sehr freundlich verabschiedet vor der Weiterfahrt zur Stadt Nazareth. Wie aber, wenn ein auftrumpfender jüdischer Nationalismus, der von neuem über die »Samaritaner« herrschen möchte, auch diese freundlichen Drusen in die Rolle erbitterter Gegner drängen würde...

Die Stadt Nazareth empfand ich als eine wenig bemerkenswerte Siedlung mit der offiziellen christlichen Kirche für den Nazarener. Zur Zeit des Tempels muß man nicht viel von ihnen gehalten haben, den Nazarenern. Das Evangelium überliefert den höhnischen Ausspruch des Hohenpriesters, als man ihm von diesem Nazarener sprach: »Was kann mir aus Nazareth Gutes kommen?«

Der Inbegriff des Guten kam aus Nazareth. Hier war eine andere Kirche errichtet worden, bescheidener und in schönerer Landschaft als jenes üppige Gotteshaus zu Nazareth. Auf dem Berge der Bergpredigt. Eher einem Hügel, der sanft abfällt zum See Tiberias. Hier also wurde das Vaterunser gelehrt, wurden Seligenpreisungen vorausgesagt für die Armen und Ausgestoßenen. Bei Dostojewski werden sie als »Erniedrigte und Beleidigte« angesprochen. Die kleine Kirche, die wir betreten, ist nach dem Besuch Pauls VI. errichtet worden. Der Pontifex reiste zum ersten Mal und als erster Papst der Neuzeit ins Heilige Land. Er hat hier gebetet.

Albert Einstein zu Ehren

Er war als Deutscher und im deutschen Kaiserreich zur Welt gekommen. Am 14. März 1879 in Ulm. Allein, die jüdische Familie zog früh schon in die Schweiz. Einstein wuchs auf unter den Eidgenossen, studierte in Zürich, wurde bereits im Jahre 1905 berühmt durch seine physikalischen Arbeiten, man berief ihn an die Eidgenössische Technische Hochschule in Zürich. Bei Kriegsausbruch 1914 kehrte er nach Deutschland zurück, wo im Jahre 1916 die erweiterte Fassung seiner frühen Forschungen unter dem Titel einer *Allgemeinen Relativitätstheorie* veröffentlicht wurde. Seitdem gehört das Wort »Relativitätstheorie« zum allgemeinen Sprachgebrauch, wenngleich sich nur Fachleute darunter etwas vorstellen können.

Ich erinnere mich noch sehr gut aus meiner Schulzeit des Jahres 1921 und der Nachricht, daß der Jude Albert Einstein den Nobelpreis für Physik erhalten habe. Keine deutsche Zeitung, daran glaube ich mich noch genau zu erinnern, vergaß den Hinweis, daß eben ein deutscher Jude hier ausgezeichnet worden war.

Einstein wurde seitdem in der Welt mit höchsten Ehren bedacht, allein in der Weimarer Republik gab es eine geheime, doch planmäßige Kampagne, die anzudeuten schien, hinter aller Ehrung dieses Pazifisten und unbequemen Kulturkritikers stecke möglicherweise gar nichts anderes als eben ein »jüdischer Schwindel«.

Ich besitze noch aus jener Zeit die nach wie vor widerwärtige Broschüre künftiger »Deutscher Physiker«, wenn unter Führung und Redaktion des Heidelberger Physikers Philipp Lenard, der selbst (1905) ein Nobelpreisträger gewesen war, eben dies – scheinbar sehr fachmännisch – behauptet wurde. Nichts als ein jüdischer Schwindel.

Albert Einstein hat offenbar nichts davon vergessen. Im Frühjahr des Jahres 1922 besuchte er nachts, nach Vereinbarung, den damaligen deutsch-jüdischen Reichsaußenminister Dr. Walther Rathenau. Er kam in Begleitung eines zionistischen Freundes, Dr. Kurt Blumenfeld. Blumenfeld hat später in seinen Erinnerungen einen Bericht von diesem nächtlichen Gespräch gegeben, das man weitgehend für authentisch halten kann. Der Zionist Albert Einstein wollte den deutschen Minister bewegen, sein Amt zur Verfügung zu stellen. Ein Jude könne nicht in deutschem Namen mit den Siegern des Ersten Weltkrieges verhandeln. Rathenau verteidigte seine Haltung und Entscheidung. Er sollte sie bald darauf mit dem Leben bezahlen.

Am 14. März 1979 befand ich mich noch in Jerusalem. Das Semester war zu Ende, doch nun feierte der Staat Israel den hundertsten Geburtstag seines Freundes und Förderers Albert Einstein. Das wissenschaftliche Symposion besaß eine Dimension, die mit nichts Ähnlichem verglichen werden konnte. Da waren nicht allein die weltberühmten jetzigen Naturwissenschaftler, also nicht bloß Physiker, nach Jerusalem gekommen. Deren Debatten konnten ohnehin nur in kleinem Kreise der großen Spezialisten stattfinden. Darüber hinaus schien sich aber die von Juden in aller Welt repräsentierte wissenschaftliche *und* künstlerische Kultur hier zur gemeinsamen Feier zusammengefunden zu haben.

Das zeigte sich bei der feierlichen Eröffnung des Kolloquiums. Ein schönes Konzert eines Kammerorchesters unter Leitung des aus New York angereisten Geigers Isaac Stern. Er spielte auch zusammen mit dem Konzertmeister das Doppelkonzert von Bach. Der britische Kulturphilosoph Isajah Berlin hielt die Festrede.

Übrigens waren nicht allein jüdische Künstler und

Wissenschaftler zur Feier nach Jerusalem gekommen. Überall aber spürte man den Willen, sich zu diesem Staat Israel zu bekennen, indem man die Weltbedeutung von Einsteins »jüdischem Schwindel« unterstrich.

Da war der amerikanische Kunsthistoriker Meir Shapiro, der Vorträge hielt. Der Psychologe Erik H. Erikson, dem wir die psychologische Forschung über menschliche »Identität« verdanken. Er fand ein zahlreiches und sehr dankbares Auditorium.

Gar keinen Erfolg hingegen, wie ich feststellen konnte, hatte ein sehr alter kleiner Mann, dem ich zuhörte und der es mir damals sehr angetan hat. Sein Name war weltberühmt. Der Harvard-Professor Roman Jakobsen aus Rußland. Das dunkle Haar war offenbar eine Perücke. Der große Sprachforscher trug immer noch in einem, in der Aussprache, ziemlich fragwürdigen Englisch vor. Jakobsen machte einem das Zuhören nicht leicht. Allein, was er vortrug, hat mich seitdem immer wieder beschäftigt. Um so mehr, als sich hier einer der Begründer moderner Linguistik mit seinem Vortrag unmittelbar zum Anlaß der großen Feier äußerte. Roman Jakobsen sprach über Albert Einstein. Aus der Lebensgeschichte des Physikers war bekannt, daß der junge Einstein ein sogenannter Legastheniker war. Das Lesen fiel ihm überaus schwer. Gleichzeitig aber fand er sich in allem Zahlenwerk mühelos zurecht.

Eben darüber hatte Jakobsen als Sprachforscher nachgedacht. Er schloß daraus, daß es offensichtlich eine außerverbale Möglichkeit menschlichen Denkens geben könne. Es lag nahe, eine solche These auch dahingehend zu überprüfen, daß der leidenschaftliche Geiger und gute Musiker Albert Einstein möglicherweise auch die Welt der Noten und damit der Partituren früher verstanden und beherrscht hatte als die Welt der Bücher.

Abschied im King David

Fünf Tage nach Einstein hatte auch ich Geburtstag. Am 19. März. Der steht immer noch im Zeichen der Fische, einem günstigen Zeichen offenbar für Musiker. Max Reger hatte auch am 19. März Geburtstag. Ebenso der wunderbare und so früh verstorbene rumänische Pianist Dinu Lipatti.

Zum Geburtstag hatte ich ein paar Freunde zum Abendessen in das Hotel King David eingeladen, wo man den Blick hat auf das neue und alte Jerusalem. Gershom und Fania Scholem waren gekommen. Auch Stéphane Mosès und seine Frau, die Malerin Liliane Mosès. Diese zweite Reise nach Jerusalem endete heiter und herzlich. Vor elf Jahren war ich beim Rückflug entschlossen gewesen, nicht zurückzukehren. Nun hoffte ich auf die Wiederkehr.

In Rom werfen die Touristen eine Münze in das Wasser der Fontana di Trevi. Das tat ich auch ein paarmal. Mit dem Rücken zur Fontana, über die Schulter geworfen.

Der deutsche Dichter Günter Eich mochte Rom nicht. In einem Gedicht *Fußnote zu Rom* teilt er mit, er werfe keine Münzen in den Brunnen. Er wolle nicht wiederkehren. Günter Eich war fasziniert von Japan und den japanischen Steingärten. In Rom hatte er die japanischen Steingärten vermißt.

In Jerusalem gab es keine Fontana di Trevi. Allein, ich wollte wiederkehren. Vor dem King David gab es von jeher einen Antiquitätenladen und einen alten, sehr fachkundigen Antiquitätenhändler. Bei ihm kaufte ich einen schönen getriebenen altjüdischen Silberbecher, wie er zu Beginn des Sabbat, also am Freitagabend, auf dem Tisch zu stehen hat, wenn der Segensspruch aufgesagt werden soll. Der Silberbecher bedeutet das Überleben. Das Gedenken. Die Rückkehr.

IV. Auf dem Sinai

Diese Besichtigungsreise war geplant aus Neugier und Bildungsverpflichtung. Einmal den Sinai erleben. Das weltberühmte Katharinenkloster. In Erinnerung an Touristengeschwätz nach der Rückkehr aus dem Urlaub: »Aber man sollte unbedingt in der Nacht auf den Mosesberg steigen, um dort den Sonnenaufgang zu erleben. Das ist ganz unvergleichlich.« Natürlich hatte ich im mindesten nicht die Absicht, dergleichen zu tun. Auch mein Reisegefährte war weit entfernt von aller Touristenroutine. Der Germanist Professor Pierre Grappin von der Sorbonne war mir seit langem bekannt. Wir mochten einander gern. Bei ihm und seiner schönen, so früh verstorbenen Frau war ich in Sèvres zu Gast gewesen. Doch Madame Grappin war tot. Der Witwer hatte offensichtlich den Wunsch, noch einmal nach Jerusalem zurückzukehren, wo er glücklich gewesen war mit seiner Ehefrau.

Man machte uns den Vorschlag, doch die Gelegenheit zu einem Besuch des Sinai zu ergreifen. Im Grunde: auszunutzen. Der Sinai gehörte zu Ägypten, war kriegerisch erobert und im zweiten Krieg als Besitz verteidigt worden. Nun jedoch, nach dem Besuch Jimmy Carters, als sich der Besuch des ägyptischen Präsidenten Sadat anzukündigen schien, stand fest, daß in dem bevorstehenden Abkommen die Rückgabe des Sinai an die Ägypter festgelegt würde. Das war offensichtlich die Voraussetzung aller Friedensverhandlungen zwischen den einstigen Kriegsgegnern. Es war also an der Zeit, den Flug auf den mythischen Berg mit Hilfe einer israelischen Maschine rechtzeitig zu planen.

Das haben wir getan. Eine kleine Maschine, doch sie war voll besetzt. Israelis und ausländische Besucher, denen man gleichfalls in Jerusalem einen Wink gegeben hatte.

Wir landeten im Gebirge. Dort wartete ein Autobus auf uns. Nun fuhren wir also auf dem Sinai. Eine kurze, doch gar nicht besonders kurze Fahrt, und da standen wir nun. Die mythische Landschaft. Ich habe nichts dergleichen je vorher oder nachher gesehen. Dies war, wie ich meine, nicht allein für mich, unvergleichbar. Ich habe keinen Erinnerungsmangel an wunderbare Erlebnisse im Hochgebirge und jenseits der Baumgrenze. In Europa freilich sind die meisten Gelegenheiten gezähmt und domestiziert. Wir werden niemals wieder Chamonix und die Welt des Montblanc so erleben, wie die Menschen der Goethezeit. Der Vierte Akt des *Faust II* spielt in einem solchen noch unnahbaren Gletschergelände. Auch der *Manfred* von Lord Byron wird durchweht von den eisigen Winden von damals.

Einzig in Neuseeland habe ich diese unheimliche Hochgebirgsnatur noch einmal spüren können. Am Fuße des Mount Cook auf der Südinsel. Der Mount Cook ist ein Viertausender. Wir landeten mit einem kleinen neuseeländischen Flugzeug am Fuße des Gletschers. Das war im Jahre 1966. Auch hier dürfte es heutzutage behaglicher und zivilisierter zugehen.

Der Sinai hat nichts von einer Gletscherlandschaft. Harte Steinwände, die steil nach unten abfallen. Als wir vor dem Katharinenkloster standen, schaute ich genau hinüber zu jener riesigen Felswand, die dem Mosesberg gegenüber gelagert ist. Da sah ich mitten im Gestein in der Höhe an einigen Stellen ein bißchen schmales Grün. Das wurde mir bald erklärt. Im Felsen des Sinai gäbe es zahlreiche Felsspalten, worin sich nach wie vor fromme Einsiedler eingerichtet hätten. Das Grün, das seien gleichsam Vorgärten.

Vom Propheten Elias wird im Alten Testament berichtet, daß er vor der bösen Königin hierher geflohen war. Der Himmel hatte ihn ernährt. Dann war er, vor den Augen seines Schülers Elisa, mit einem feurigen Wagen zum Himmel gefahren: »Mein Vater, mein Vater, Wagen Israels und seine Reiter!«

Vor dem Gesetz

Sie ist nach wie vor unergründlich geblieben: diese Erzählung Franz Kafkas mit der Überschrift *Vor dem Gesetz*. Offensichtlich gehörte der schmale Text zu den Materialien, die Kafka in seinen nächtlichen »Schreibereien« für das Romanmanuskript »Der Prozeß« vorgesehen hatte. Den sehr weit gediehenen Romanentwurf widerrief er dann vor sich selbst. Die Parabel *Vor dem Gesetz* hingegen hielt er für gültig, und damit für druckreif.

Die Unlösbarkeit der Geschichte, der unvermeidliche Widerstand des Lesers gegen ihren Abschluß, hat zu tun mit der von Kafka absichtsvoll beseitigten Grenzziehung zwischen der Subjektivität und der Objektivität jeglichen Gesetzes. Ein Gesetz, welches diesen Namen verdient, ist als generelle Normierung zu verstehen. Man hat das Gesetz ganz allgemein zu befolgen. In der durchaus positivistischen Rechtsphilosophie des großen österreichischen Juristen Hans Kelsen beispielsweise wird es für belanglos gehalten, nach der jeweiligen Entstehung dieser gültigen Normierung zu fragen. Für Kelsen gilt die Feststellung, wenn einmal das Gesetz verkündet wurde, mit der Macht des jeweiligen Gesetzgebers dieses Gesetz auch durchzusetzen, daß man eine solche Norm, juristisch gesehen, für gültig halten müsse. Gerecht oder ungerecht, menschlich oder unmenschlich, im Rechtssinne hat dieses Gesetz so lange gültige Kraft, wie es nicht ausdrücklich widerrufen oder gar zusammen mit dem damaligen Gesetzgeber vernichtet wurde.

Das subjektive Gesetz für jeden einzelnen Menschen in jeder einzelnen Gesellschaftsordnung wird durch eben diese Gesellschaftsordnung determiniert. Das kann sich in der Form des bloßen Gehorsams vollziehen, weil man die gesellschaftliche Norm nicht übertreten möchte. Allein, es gibt auch die Verinnerlichung des Gesetzes durch freiwillige Identifikation. Das berühmteste Beispiel einer solchen Wechselbeziehung zwischen subjektiver und objektiver Normierung gab Immanuel Kant durch seine Formel vom »kategorischen Imperativ«. Der Kantianer Friedrich Schiller formulierte: »Nehmt die Gottheit auf in euren Willen ...«.

In der Parabelgeschichte *Vor dem Gesetz* von Franz Kafka erscheint der Erzähler (oder irgendeine Kunstfigur, von welcher der Erzähler berichtet) vor einem von innen her leuchtenden Gebäude. Es ist kenntlich gemacht als Gebäude des Gesetzes. Es gibt auch einen Türhüter, welcher über den Zugang zum Gesetz entscheiden darf.

Da steht nun ein Bittsteller, der Einlaß begehrt. Immer wieder verweigert ihm der Türhüter den Eintritt. Er weist ihn nicht ausdrücklich ab, hat aber Vorbehalte mit der Terminierung des Einlasses. Immer wieder der Bescheid: Jetzt noch nicht! Das geht so Jahre lang. Ein Leben lang. Kein Einlaß. Schließlich stirbt der Bittsteller mit einem letzten Blick auf das Leuchten aus dem Innern des Gebäudes. Die letzten Worte, die er sterbend vernimmt, spricht der Türhüter. Er werde die Tür nun schließen. Offenbar hat er seine Funktion verloren. Er war nur für den Einlaß dieses einzigen Bittstellers bestellt worden, und dieser Einlaß wurde ein Leben lang verwehrt.

Es ist keine literarische und nachträgliche Sublimierung damaligen Denkens und Empfindens am Fuße des Mosesberges, wenn berichtet wird, daß ich damals sehr intensiv an jene Erzählung von Franz Kafka dachte. Oben auf dem Sinai. *Vor dem Gesetz*. Die sprachliche Assoziation war naheliegend. Thomas Mann hatte nach Abschluß seines vierbändigen Romans über den biblischen Joseph, den Patriarchen Jaakob und die Vorgänge bei der Übersiedlung der Nachkommen Jaakobs, der sich Israel genannt hatte, nach Ägypten, noch eine Abschlußerzählung geschrieben mit dem Titel: *Das Gesetz*. Gemeint war das Gesetz vom Sinai. Die epische Tetralogie berichtet von der Einbürgerung der »Kinder Israels« im Lande der Pharaonen. Jene Erzählung Thomas Manns hingegen über *Das Gesetz* hatte über Moses zu berichten und die Befreiung der nachgeborenen Israeliten aus der ägyptischen Sklaverei. Die Thora berichtet darüber mit einem Satz, der immer wieder auch in einer jeweiligen Gegenwart zitiert werden kann, wenn abermals und stets von neuem gesellschaftliche Normierungen von hohem Rang mißachtet werden sollen: »Es kam ein Pharao auf den Thron, der wußte nichts mehr von Joseph ...«

So hatte Moses seine Kinder Israels aus Ägypten ziehen lassen. Man kam jenseits des Roten Meeres in eine Bergwüste. Da standen sie nun und wußten nicht weiter. Ihr Prophet und Lenker Moses war verschwunden im Gebirge. Zurück blieb sein Bruder, der Hohepriester Aaron. Ein Hohepriester jenes unsichtbaren Gottes der »Kinder Israels«, welcher ihnen alle Götzenbildnerei und jeglichen Polytheismus verboten hatte.

Standen sie nicht auf dem Sinai, diese Kinder Israels, vor der eigenen Zukunft wie jener Bittsteller bei Kafka, der vor einem Gesetz steht, welches von innen her leuchtet, doch für ihn noch keine Umrisse angenommen hat? Man muß warten. Ein Leben lang. Kein Einlaß. Da wird, in der subjektiven Gesetzlichkeit, alle innere Festigkeit auf die Dauer brüchig. Was ist das überhaupt für ein Gesetz? War es nicht überhaupt eine zwar überlieferte und erlauchte Mythe ohne Beweiskraft, dieses Gesetz des unsichtbaren Gottes? Freilich, es hatte immer wieder mit neuen Generationen bei den Nachgeborenen überlebt. Es hatte auch jenen Pharao überlebt, der nichts mehr von Joseph wußte. Allein, man überlebte nun in der Wüsten- und Hochgebirgslandschaft des Sinai. Moses war nicht mehr zu sehen. Wäre es denkbar, daß er das Leben verlor im Gebirge auf der Suche nach dem unsichtbaren Gott? War es da nicht vernünftiger, das abseitige Gesetzeswerk der Kinder Israels zu verleugnen, um von neuem Anschluß zu finden an die Glaubensgesetze aller anderen Völker diesseits und jenseits des Sinai? Rückkehr folglich zu Götterbildern, vor welchen man sich sklavenhaft niederwerfen kann. Die ägyptische Tradition der Tierverehrung, insbesondere der göttlichen Stiere, war immerhin noch im Gefühl virulent. Ein Versuch der Rückkehr wäre denkbar. Nicht gerade ein ägyptischer Stier, doch vielleicht ein kleines Kalb. Ein kleines Kalbgebilde aus purem Gold. Ein Goldenes Kalb.

In seiner Erzählung von der Entstehung des Dekalogs, also der Zehn Gebote, hatte sich Thomas Mann konzentriert auf die Gestalt des Propheten Moses oder Mosche. Gehörte Moses überhaupt, seiner Herkunft nach, zu den Kindern Israels? Oder war er gar ein Ägypter, der sich zum unsichtbaren Gott bekehrt hatte? Sigmund Freud hatte in seinen Texten über den biblischen Moses diese Hypothese geäußert. Die jüdische Theologie hat entrüstet eine solche Vermutung abgelehnt. Selbst wenn die These Sigmund Freuds nachzuweisen wäre, änderte sich nichts an den überzeitlichen und überräumlichen Wirkungen jenes Geschehens auf dem Sinai, wo zum ersten Mal in der Geschichte des Menschen die Formel: »Du sollst nicht töten!« erdacht und ausgesprochen wurde.

Das war hier gewesen, hier auf dem Sinai. Am Fuße dieses Mosesberges, der zu nächtlichen Ausflügen verlockte, damit man den Sonnenaufgang bewundern könne in einer Welt, welche weder den Dekalog der Zehn Gebote ernst nahm noch die subjektive Gesetzessehnsucht des Mannes in Franz Kafkas Geschichte.

Der Katharinenberg ist dem Mosesberg benachbart. Nach der Heiligenlegende trugen die Engel den Leichnam der Märtyrerin Katharina aus Alexandria auf diesen Berg, um ihn dort zu bestatten. Am Fuße des Gebirges, in jenem Tal also, wo ich mir den Tanz um das Goldene Kalb vorzustellen suchte, befindet sich, seit den frühen Tagen des Christentums, das Katharinenkloster. Errichtet vor dem mächtigen Gestrüpp des biblischen Dornbusches. Aus ihm hatte die Stimme des Herrn zu Moses gesprochen. Dann war der Prophet aufgebrochen ins Gebirge und mußte als verschollen gelten.

Das Katharinenkloster hat eine Geschichte durchlebt, die ohne Beispiel ist. Es wurde stets respektiert und verehrt. Dabei zeigte es sich, daß die stolzen und gleichzeitig demütigen Mönche, die sich vor dem Besucher freundlich gaben und mitteilsam, ihre eigene Theologie, bei allem Respekt für die Rituale des Ordens, subjektiv und frei auszulegen wußten. Vermutlich gab es stets Verbindung zwischen ihnen und jenen Eremiten oben im Gestein mit den grünen Vorgärtchen.

Vom byzantinischen Kaiser Justinian war für das ganze römische Weltreich, also von Ostrom her, die Unverletzbarkeit dieser heiligen Stätte dekretiert worden. Plötzlich mußte ich wieder an meine Schülerzeit denken und an die glühende Lesefreude an dem so umfangreichen wie spannenden Roman *Ein Kampf um Rom*, verfaßt vom deutschen Rechtsprofessor Felix Dahn. Wie hatte ich hier beim Lesen mitgelebt. Justinian wurde als ein verderbter welscher Schurke geschildert: in unguter Verbindung mit einer Kaiserin Theodora von denkbar schlechtem weiblichen Ruf. Es war ihm jedoch gelungen, dank der Übermacht natürlich, die Ostgoten aus Italien zu vertreiben. Dabei soll ihm ein tückischer Römer namens Cethegus geholfen haben. Beim Wiederlesen entdeckte ich, viele Jahre später, daß Cethegus nach dem bürgerlichen Judenbild des neunzehnten Jahrhunderts entworfen wurde.

Erst recht starke jüdische Züge jedoch weist der siegreiche byzantinische Feldherr Narses auf. Körperlich mißgestaltet, jedoch erschreckend klug. An ihm scheitert alle germanische Redlichkeit und Tapferkeit der Totila und Teja. Das waren jener Justinian und jene Theodora meiner Schülerzeit um das Jahr 1920. Gleich nach dem Abitur jedoch und am Beginn meines

Jurastudiums wurde ich abermals an Justinian erinnert. Einen durchaus anderen und ernsthafteren Weltbeherrscher. Von Byzanz aus hatte er dem römischen Weltreich, dem er schließlich mit Hilfe seiner Belisar und Narses auch wieder Italien eingliedern konnte, ein allgemeines Gesetzbuch verordnet: das Corpus juris civilis. Ein erstes Bürgerliches Gesetzbuch. Angelegt nicht in einer Paragraphenfolge, sondern als Folge berühmter und nach wie vor für gültig gehaltener Gerichtsentscheidungen. Eine Fallsammlung als Gesetzbuch.

Hier nun, im Katharinenkloster, erlebte ich ihn zum dritten Mal, den zwielichtigen, doch überaus erfolgreichen oströmischen Kaiser am Bosporus. Die Erinnerung an Justinian war den heutigen Mönchen, wie sie berichteten, nach wie vor teuer geblieben. Das Dekret des Justinian hatte kein späterer Machthaber, der auf dem Sinai herrschen durfte, jemals widerrufen. Es war immer von neuem wiederholt und bestätigt worden. Zuletzt noch durch einen militärischen Eroberer aus Europa, der in Ägypten eingefallen war, um von hier aus die Engländer zu bekämpfen, seine Feinde. Er hatte bei den Pyramiden gesiegt, war dann auf dem Sinai erschienen und hatte auch den Mönchen ausdrücklich seinen Schutz angekündigt. Auch er hatte an Ort und Stelle ein Dekret hinterlassen. Es trug noch seine Unterschrift. Die Signatur eines republikanischen Generals namens Napoléon Bonaparte.

Moses und Elias

Den Kirchenraum im Katharinenkloster dominierte, nach strenger byzantinischer Überlieferung, das riesenhafte Mosaik des Christos Pantokrator. Christus als Weltenherrscher. Die Vision mithin, die auch für Michelangelo Buonarroti entscheidend war für seine gewaltige Darstellung des Jüngsten Gerichts.

Ich habe viele berühmte Darstellungen des Christos Pantokrator sehen dürfen. In Monreale auf Sizilien. In Rom natürlich. Die vielleicht schönste und menschlichste im Kloster Daphne vor den Toren von Athen.

Nicht künstlerisch, doch als theologische Konstellation ist mir die Darstellung des Pantokrator im Katharinenkloster tief im Gedächtnis geblieben. Vielleicht hat die Erinnerung einiges verfälscht, man könnte das nachprüfen durch Nachschlagen in den Büchern. Das soll nicht geschehen. Man berichtet über ein Bild, das im Gedächtnis blieb. Dieses Bild aber ist untrennbar verbunden mit dem Ort, wo man es sehen kann: mit dem Sinai und mit dem Katharinenkloster. Dieser Pantokrator nämlich scheint noch fest in der Tradition des Judentums zu herrschen. Zur Seite stehen keine Jünger und christlichen Heiligen, sondern – in stattlicher Größe – die großen Propheten der Kinder Israels. Moses und Elias. In meiner Erinnerung gibt es dann noch vom Fuß des Bildes her zwei durchaus in der Dimension kleiner gehaltene Apostelgesichter. Sie schauen, etwas ängstlich wie mir schien, empor zum Weltenrichter. Die Namen dieser beiden Apostel glaube ich noch richtig im Gedächtnis zu haben, weil mich die Zusammenstellung damals verwunderte und nachdenklich machte. Es handelt sich um die Apostel Petrus und Andreas. Andreas war der Heilige der Ostkirche und später der slawischen Völker. Das Andreaskreuz war eine hohe Auszeichnung, die vom russischen Zaren verliehen wurde.

Petrus aber war der Bischof von Rom.

V. Das Gesetz und das Endspiel
Arnold Schönbergs Oper »Moses und Aron«

In einem Lexikonartikel über Arnold Schönberg, geschrieben für die *Encyclopédie de la Musique* im Jahre 1961, hat Pierre Boulez eine sehr viel vorsichtigere und freundlichere Würdigung vorgenommen als in der einstigen Sturm- und Drang-Zeit des Jahres 1951, wo die Überschrift des berühmt gewordenen Darmstädter Vortrages monumental dekretierte: »Schönberg est mort.« In jenem provokanten Text, der im Rahmen der Darmstädter Ferienkurse für Neue Musik gehalten worden war, ging es dem jungen Boulez um zweierlei: um die Herausarbeitung einer scheinbaren Unvereinbarkeit der Schönbergschen Reihentechnik mit dem gleichzeitig von Schönberg beibehaltenen Kompositionsprinzip auf thematischer Grundlage; zum anderen um die Erhöhung des Anton von Webern über seinen Lehrer und Meister Arnold Schönberg. Es war grimmige Ironie, wenn Boulez damals in Darmstadt seine Verwerfung des Musikers Schönberg ausgerechnet mit einem spöttischen Hinweis auf die Thematik der Oper *Moses und Aron* zu krönen gedachte. Da heißt es: »Hüten wir uns, Schönberg als eine Art Moses anzusehen, der im Angesicht des Gelobten Landes stirbt, nachdem er die Gesetzestafeln von seinem Berg Sinai heruntergebracht hat, den einige Leute um ihr Leben gern mit Walhall verwechseln möchten. (Inzwischen ist der Tanz um das Goldene Kalb in vollem Gange.) Einzig der *Pierrot Lunaire* scheint Gnade zu finden. Er wird bei der Verdammung ausgeschlossen.

Zehn Jahre später werden zwar die wesentlichen Einwände von 1951 beibehalten. Boulez spricht immer noch von einer »Spaltung ... zwischen der eigentlichen Technik und einem Zwang zum Akademischen ...«, doch schließt er den Lexikonartikel gleichsam mit einem satten Dur-Akkord: »Dennoch haben wenige Männer mit solcher Kraft auf die Geschichte der Musik eingewirkt wie er: er ist eine jener ragenden Gestalten in der Musik des 20. Jahrhunderts, die der zeitgenössischen Sprache ihre gegenwärtigen Konturen verliehen.«

Bloß die unvollendete Oper *Moses und Aron*, der damals bereits in Darmstadt ein metaphorisch verkleideter Spott zuteil wurde, bleibt nach wie vor von Boulez verworfen: »Bedauerlicherweise steht auch hier der literarische Wert des Librettos beträchtlich unter der musikalischen Qualität der Partitur: Schönberg hatte den Text selbst verfaßt, er zeigt einen ziemlich naiven Gegensatz zwischen Materialismus, dargestellt in Aron, und Idealismus, verkörpert in Moses. Der geglückteste Aspekt des Werkes scheint die gleichzeitige Verwendung von Sprech- und Gesangspartien, sowohl bei den Solisten wie bei den Chören zu sein ...« Auch die Musik übrigens, wenngleich ihr eine höhere Qualität zugesprochen wird als dem Libretto, scheint dem Komponisten Boulez fremd zu bleiben: »Was die stilistischen Eigenschaften der Musik angeht, bieten sie keine zusätzlich neue Erfahrungen über Schönbergs neoklassizistische Entwicklung.«

Auffallend ist an diesem Text einer Verwerfung zunächst die fast als Axiom zu verstehende Behauptung, daß »auch hier«, nämlich beim Libretto von *Moses und Aron*, der literarische Wert beträchtlich tiefer anzusetzen sei als der musikalische. Womit angedeutet werden soll, daß Schönberg wieder einmal unrecht hatte, wie bei dem Monodram *Erwartung*, opus 17, bei der *Glücklichen Hand*, einem Drama mit Musik, opus 18, oder bei dem unvollendeten Oratorium *Die Jakobsleiter*, als sein eigener Textverfasser zu fungieren. In der Tat sind Schönbergs Dichtungen für Musik immer wieder als expressionistische Epigonik denunziert worden. Man glaubte, bisweilen nicht mit Unrecht, hinter den Wortballungen eine geheime Sprachlosigkeit zu entdecken. Pierre Boulez war offenbar nicht gewillt, zwischen den verschiedenen Schönberg-Texten genauer zu differenzieren. Es sei offensichtlich, wie ein »auch hier« erkennen macht, dasselbe Urteil zu fällen über den Text zur *Glücklichen Hand* von 1913 und jenen für den *Moses und Aron*, der zwischen 1930 und 1932 anzusetzen ist.

Allein, es muß gegen ein solches Pauschalurteil eingewandt werden, daß Schönberg in *Moses und Aron* das Thema der Sprachlosigkeit selbst zum Gegenstand einer dramatischen Handlung machen will. Die literarische Qualität seines Librettos gründet sich just darauf, daß die sprachliche Ohnmacht des Moses mit der Wortmächtigkeit seines Bruders Aron konfrontiert wird. In doppelter Weise sogar: durch die abweichende Diktion der beiden Brüder, die folglich einen Dialog gar nicht zuläßt, sondern als windschiefes Gespräch verläuft; andererseits durch den erstaunlichen Einfall des Tonsetzers Schönberg, für die Rolle des Moses die Prinzipien des Sprechgesangs aus dem *Pierrot Lunaire* auf neuer Ebene weiterzuführen. Der Sprechrhythmus wird genau festgelegt, nicht aber der Verlauf der Tonhöhen, mit Ausnahme der Betonungshöhen. Daraus entsteht übrigens eine Schwierigkeit für den Sänger des Moses. Der nicht fixierte Ablauf der Tonhöhen läßt dem Sänger und Darsteller eine gefährliche Freiheit, die es erlaubt, die Gestalt des Moses, je nach dem Konzept, positiv oder negativ zu interpretieren.

Aron hingegen ist eine sorgfältig notierte Tenorpartie, bei welcher der Wechsel zwischen Aufrichtigkeit und Demagogie, Ergriffenheit und Rhetorik genau fixiert wurde. Erst wenn dieses Grundkonzept des Librettos, als eines dramatischen Textes über den Konflikt zwischen Sprachlosigkeit und Rhetorik, ernstgenommen wird, läßt sich ein Urteil fällen über die literarische Qualität des Textes zu *Moses und Aron*.

Dem Einwand des Franzosen gegen das angebliche Mißverhältnis zwischen der literarischen und musikalischen Qualität von Schönbergs Oper gesellt sich bei Boulez ein weiteres Argument: es handle sich bei diesem Opernfragment um den »ziemlich naiven Gegensatz« zwischen dem Idealisten Moses und dem Materialisten Aron. Allein, Moses ist bei Schönberg kein Idealist und Aron fast noch weniger ein Vertreter des »Materialismus«, was immer man hier darunter verstehen könnte. Einem jeden Denken des Idealismus nämlich bleibt es eigentümlich, daß es der untrennbaren Verknüpfung mit dem Wort verhaftet bleibt. Hier findet sich erst bei Ludwig Wittgenstein die Absage. Bei Wittgenstein – und bei seinem österreichisch-jüdischen Landsmann Arnold Schönberg. Der Moses in Schönbergs Oper mißtraut der Symbiose von reinem Gedanken und reinem Wort. Das idealistische Etikett verfehlt mithin die eigentliche Auseinandersetzung, die Schönberg als Textdichter und Tonsetzer zugleich führen möchte. Andererseits unterscheidet sich Aron von jeglichem Materialismus gerade dadurch, daß er, als ein treuer Bruder und redlicher Gefolgsmann des bewunderten Moses, den Primat des Gedankens niemals verrät. Er sucht ihn, im Gegenteil, vielleicht als ein Pragmatiker, doch keinesfalls als ein Materialist, so gut wie möglich zu verwirklichen. Was freilich auch heißen muß: so unrein wie nötig.

Mit Hilfe der Ismen läßt sich also Schönbergs Konzept und Libretto nicht ausloten. Es zeigt sich vor allem daran, daß es schwerfällt, vor dieser Oper irgendeine »Einfühlung« des Betrachters zu versuchen. Sei es als Identifikation mit Moses unter Verwerfung des Aron, sei es umgekehrt als Absage an die Wortlosigkeit des Propheten vom Sinai, unter freundlicher Zustimmung zur Realpolitik des Hohenpriesters Aron.

Weil dem so ist, lassen sich, gerade bei ausgezeichneten Sachkennern, die widerstreitendsten Urteile aufzeigen über die Rolle und Funktion des Propheten Moses. H. H. Stuckenschmidt nimmt in seinem umfangreichen Buch über Schönberg, gleichsam in mitgehender Interpretation, durchaus Partei für Moses und gegen Aron: »Moses, der Träger des Wortes, hat die Gesetzestafel in der Hand. Er muß erkennen, daß Aron, dessen Mund die Gedanken verkündet, sie verdirbt, indem er sie sichtbar macht. Auch die Feuersäule und die Wolkensäule erklärt Moses als Götzenbilder, die von der reinen, unvorstellbaren Gestalt Gottes ablenken. Er hat die Gesetzestafel zertrümmert, nun erscheint ihm, was er gedacht, als Wahn. Mit dem Satz: ›O Wort, du Wort, das mir fehlt‹, sinkt er verzweifelnd zu Boden.«

Die Gegenthese wird durch Michael Gielen vertreten, dem man die vorzügliche Schallplatten-Aufführung von *Moses und Aron* mit dem Chor und Sinfonieorchester des Österreichischen Rundfunks zu danken hat. Im Beiheft zu dieser Aufnahme findet sich der Wortlaut eines Interviews zwischen Michael Gielen und Jonathan Ellis. Darin äußert sich Gielen ganz unverhohlen als Gegner des Moses und als Parteigänger des Hohenpriesters.

»Ich bin überzeugt, daß Moses' Politik falsch ist. Doch der Gegensatz zwischen Moses und Aron ist fingiert. Sie sind zwei Seiten derselben Münze. Was taugt der Gedanke, wenn er nicht verwirklicht wird? Was nützt eine Revolution, die nur in Büchern stattfindet? Aron wählt den Weg des Demagogen. Damit bringt er das Volk in Bewegung und orientiert es dorthin, wo er es haben will. Es hätte Moses nicht gestört, wenn all diese Menschen in der Wüste gestorben wären, sofern sie nur seinen Gedanken verbunden geblieben wären. Und nur er sah Gott, sonst niemand. Die anderen mußten glauben, er war der ›Führer‹. Deshalb stehen meine Sympathien hundertprozentig auf der Seite Arons.«

In der Tat ist Arnold Schönberg von eindeutiger Parteinahme für den Propheten und gegen den Hohenpriester weit entfernt. Daraus ergibt sich freilich für die musikalisch-szenische Interpretation eine große Schwierigkeit. Man kann »Moses und Aron« sowohl als Billigung der Handlungen des Moses inszenieren wie als Zustimmung zu den verzweifelten und insgeheim von ihm selbst abgelehnten Bemühungen des Aron, die reine Lehre Gottes und seines Propheten im auserwählten Volk zu verwurzeln. Die Berliner Aufführung unter Hermann Scherchens Leitung mit dem würdevoll-ergriffenen Moses Josef Greindls und dem schönsingenden und als eitel interpretierten Aron, den der Tenor Helmut Melchert darstellte, hatte sich gegen Aron entschieden und für Moses. Michael Gielen gelingt es, entsprechend seinem Konzept, Zweifel zu wecken an der Reinheit, Bescheidenheit und gewollten Machtlosigkeit des Moses. Bereits durch die erste Auseinandersetzung zwischen den Brüdern in der zweiten Szene mit der Überschrift: »Moses begegnet Aron in der Wüste«, wird der Konflikt exponiert. Die Stimme aus dem Dornbusch hatte dem Moses verkündet:

Aron will ich erleuchten, er soll dein Mund sein!
Aus ihm soll deine Stimme sprechen, wie aus mir
die meine!

Als ihm nun Aron in der Wüste begegnet, muß sich Moses folglich im Einklang fühlen zugleich mit dem Bruder und mit Gott. Dennoch beginnt hier bereits der Zwiespalt zwischen den durchaus abweichenden Auffassungen der Brüder von der ihnen zugefallenen Aufgabe. »Schwungvoll«, wie die Partitur an dieser Stelle fordert, und arios übernimmt Aron seine Aufgabe, dem von Gott auserwählten Volk Israel diese säkulare Verheißung zu verkünden. Im langsamen Rezitativ wiederholt er dann die Botschaft aus dem Dornbusch, wonach sich das auserwählte Volk kein Bildnis machen könne und dürfe von Gott:

»Unsichtbar! Unvorstellbar! Volk, auserwählt dem Einzigen, kannst du lieben, was du dir nicht vorstellen darfst?« Hier bereits hat Aron, aus der ariosen Verzückung durch jähe Erkenntnis vertrieben und ans meditative Rezitativ verwiesen, den unlösbaren Zwiespalt geahnt zwischen dem unvorstellbaren Gott und der geforderten Notwendigkeit, das Gestaltlose, Unvorstellbare zu verehren, gar zu lieben.

Die Replik des Moses ist schneidend. Der Rhythmus hat gewechselt bei Schönberg. »Sehr langsam«, doch stark, antwortet Moses der Frage Arons: »Kannst du lieben, was du dir nicht vorstellen darfst?« Moses wiederholt, offenbar zornig oder spöttisch: »Darfst.« Die Notierung des Sprechgesangs verlangt den Sprung einer übermäßigen Septime. Die Posaunen begleiten die erbitterte Frage des Moses mit eben diesem Intervall. Dann wiederholt Moses, durchaus nicht arios, sondern monoton auf der stets selben Note eines tiefen E, die in seinen Augen reine und fraglos anzunehmende Lehre: »Unvollstellbar, weil unsichtbar, weil unüberblickbar, weil unendlich, weil ewig, weil allgegenwärtig, weil allmächtig.« Einmal erhebt sich nur die Stimme, um sogleich wieder zur Monotonie zurückzukehren: »Nur einer ist allmächtig.« In Michael Gielens musikalischer Ausdeutung der Szene wird die höhnische Replik des Moses im Wort »Darfst?« als unguter Hohn, als herrscherliche Anmaßung vorgetragen. Um die Reinheit der Lehre scheint es schlecht zu stehen bei ihrem von Gott berufenen Ausdeuter.

Aron beginnt nun einen Lobgesang auf Gottes Allmacht und Allgüte. Immer wieder wird es ihm, ohne daß er sich stören läßt, von Moses verwiesen. Der Text ist tiefsinnig. Wer möchte hier von einer geringen literarischen Qualität sprechen, wenn dem biblischen Satz im Munde Arons: »Du strafst die Sünden der Väter an den Kindern und Kindeskindern!«, von Moses durch Fragen die Sinnlosigkeit einer solchen Aussage vorgestellt wird: »Strafst du? Sind wir fähig, zu verursachen, was dich zu Folgen nötigt?« Hier ist der Konflikt zwischen Moses und Aron zum ersten Mal genau umrissen. Aron versteht die Botschaft aus dem Dornbusch als Bündnis zwischen Gott und seinem auserwählten Volk. Damit aber wird Gott zum Teil des Volkes, an dessen Tun und Trachten er von nun an Anteil nehmen muß, indem er die gute Tat belohnt, die Untat auf Generationen hin mit Eifer verfolgt. Dies aber ist nicht der Gott des Moses. Der ist ein verborgener Gott, ein deus absconditus, der stets verborgen bleibt: nicht vorstellbar nach menschlichen Maßstäben. Sinnlos daher das von Aron entworfene Bild einer gütigen und strafenden Gottheit. Wo wäre der Mensch, so wird man Moses verstehen müssen, dessen Tun ursächlich werden könnte für eine Maßnahme der Gottheit. »Sind wir fähig, zu verursachen, was dich zu Folgen nötigt?«

In diesem ersten der drei großen Gespräche zwischen Moses und Aron im Verlauf der Oper, von denen das letzte im wesentlichen den nicht komponierten dritten Akt ausmacht, kann es, nach Schönbergs Libretto wie auch nach seiner Partitur, keine Entscheidung geben für den Propheten oder den Hohenpriester. Der Widerspruch ist aufgebrochen zwischen den Brüdern, und mit ihm sogleich auch der Widerspruch zwischen ihnen beiden und dem göttlichen Gebot. Die Stimme aus dem brennenden Dornbusch hatte Übereinstimmung gefordert und also wohl auch vorausgesehen. Die besteht jedoch nicht: trotz besten Willens der beiden Brüder. Freilich ist Moses erleuchtet worden in der ersten Szene, die Schönberg als »Moses' Berufung« überschrieb. Allein, Gott hatte auch verheißen: »Aron will ich erleuchten, er soll dein Mund sein.« Folglich darf das Handeln und Sprechen des Aron nicht abgetan werden als das eines Nichterleuchteten. Keiner allein ist Herr des Geschehens und könnte dadurch den Gegenspieler und Bruder ins Unrecht setzen. Beide sind Träger einer Verheißung, die jedoch nicht Selbstzweck bedeuten darf. Sie wurden erleuchtet, um dienen zu können. Die Substanz der Oper »Moses und Aron« kann nicht gedeutet werden als autonomes Spiel und Gegenspiel zwischen den Titelgestalten. Es ging Arnold Schönberg, dem Juden und dem Künstler, um das Schicksal des Volkes Israel. Ihm galt die Verheißung als eine gleichzeitig weltliche und heilige. Moses und Aron aber wurden ins Volk geschickt, um dieser Verheißung zur Existenz zu verhelfen. Es ist deshalb eine Fehldeutung des Werkes, wenn man es, wie geschehen, als sonderbare Mischform versteht aus der Entgegensetzung einer sprechenden und einer singenden Stimme und einem den wichtigsten Teil der Partitur erfüllenden, fast sprengenden Chorwerk, worin sich alle Zweifel, Hoffnungen und Widersprüche des Volkes Israel ausdrücken sollen.

Das eigentliche Gegenspiel ist angelegt als Beziehung zwischen den beiden – in sich uneinigen – Brüdern und dem Volk Israel. Die Oper *Moses und Aron* handelt vom Schicksal und vom Überleben der Juden.

Die fünfte Szene des zweiten Aktes, die letzte also, die Schönberg komponierte, lenkt den Gegensatz zwischen Moses und Aron hinüber zur eigentlichen Antinomie, auf die es dem Librettisten und Komponisten ankommt: zum grundverschiedenen Verhalten gegenüber dem Volk Israel. Der Prophet, erleuchtet und beauftragt in der Szene des brennenden Dornbusches, kennt nur sein Gesetz, seinen Gedanken. Schlimmer noch: wenn die Tafeln des Gesetzes, nämlich der Zehn Gebote, ohnmächtig erscheinen müssen vor dem Verhalten des Volkes Israel, das im Tanz um das Goldene Kalb, in der Ausschweifung und im Blutopfer, alle zehn Gebote gleichzeitig verletzt, so hat sich – für Moses – dadurch das Gesetz selbst als wirkungslos demonstriert. Die Zertrümmerung der Tafeln, jene berühmte Szene, die Michelangelo vor Augen hatte, als er den zornigen (und gehörnten) Moses bildete: im Augenblick, da er aufzuspringen scheint, um die Tafeln von sich zu schleudern, und die Sigmund Freud in seinen Meditationen über den Moses des Michelangelo zu deuten suchte, ist von Schönberg nicht als Ausbruch eines machtvollen Zornes interpretiert, sondern als ohnmächtige Wut über das Versagen des Gedankens.

Allein, Moses hat den Gedanken Gottes mißverstanden. Der Gedanke war durch die Stimme aus dem

Dornbusch gleichsam als Ausdruck einer »funktionalen Vernunft« verkündet worden. Die Erleuchtung, die gleichzeitig für den Propheten Moses galt wie für den wortmächtigen Aron, hatte ein Ziel:

> Dieses Volk ist auserwählt, vor allen Völkern,
> das Volk
> des einzigen Gottes zu sein,
> daß es ihn erkenne, und sich ihm ganz widme:
> daß es alle Prüfungen bestehe, denen in
> Jahrtausenden
> der Gedanke ausgesetzt ist.

Eben dies hatte Moses vergessen oder gar »verdrängt«. Nicht so der Hohepriester Aron. Es war nicht ein süßliches und verlogenes Arioso, was Aron bereits in der ersten Konfrontation mit dem Bruder zur Lobpreisung des auserwählten Volkes drängte. Zornig gleich am Beginn durch Moses zurechtgewiesen. Als Moses dann auf dem Berg des Gesetzes verharrt und für tot gehalten wird, versucht Aron seinen Teil der Funktion zu erfüllen. Das Überleben des auserwählten Volkes setzt den Einklang voraus zwischen dem erleuchteten Hohenpriester und den vielen Unmündigen. Zwar hat die Mündigkeit im Wortsinne nichts mit dem menschlichen Mund zu tun, allein Aron macht sich – bei Schönberg – zum Mund der Unmündigen:

> Wenn Moses von dieser Höhe hinuntersteigt,
> wo ihm allein das Gesetz sich offenbart,
> soll mein Mund euch Recht und Gesetz vermitteln.
> Erwartet die Form nicht vor dem Gedanken!
> Aber gleichzeitig wird sie da sein.

So entsteht das Bild: als Goldenes Kalb. Das Kalb freilich vergeht beim Anruf des zornigen Moses: »Vergeh, du Abbild des Unvermögens, das Grenzenlose in ein Bild zu fassen!« Abermals die übermäßige Septime als Notierung (»fortissimo«), wenn Moses das »Vergeh« befiehlt und im chromatischen Niedertaumeln zugleich das Abbild entwesen macht wie den Gedanken, »das Grenzenlose in ein Bild zu fassen«. Auch die Notierung des Sprechtons beim Worte »Bild« wird als unaufhaltsames Absinken verstanden.

Das Prinzip Moses' scheint sich durchgesetzt zu haben. »Das Volk weicht zurück und verschwindet rasch von der Bühne.« Allein, nun beginnt, als groß angelegtes Rezitativ, die entscheidende Auseinandersetzung zwischen den Brüdern. Es folgt eine völlige Umkehr der Positionen und Perspektiven. Der machtvolle Moses, der mit dem Wort allein das Bild vernichten konnte und folglich allein in der Gunst des Allmächtigen zu stehen scheint, hat am Ende der Szene die Tafeln zertrümmert und kennt nur noch den letzten Ausbruch: »O Wort, du Wort, das mir fehlt!«

Der Chor zieht hinter dem Hohenpriester Aron her, hinter den Wundern der Feuersäule und der Wolkensäule. »Tempo di marcia« hat Schönberg für den $4/4$-Takt angeordnet. Es gibt die Gongs, die Schellen, die große Trommel. »So rasch wie möglich und von Note zu Note beschleunigend.« Moses bleibt allein zurück. Nur die Geigen sind bei ihm geblieben als Ausdruck der einsamen Trauer. Das steigert sich auf dem tiefen A vom piano zu einem müden forte und sinkt ab ins pianissimo.

Die Umkehr innerhalb dieser letzten Szene ist vollkommen. Zuerst war Aron unsicher geworden, gedemütigt, schüchtern. Er versuchte mit kleinen Kantilenen den Bruder zu beschwichtigen. Gewiß wurde die

Reinheit des Gedanken vom unvorstellbaren, mithin bildlosen Gott in schrecklicher Weise profaniert. Allein, es geschah gleichfalls im Dienste der Verheißung. Wenn Gott bestimmt hatte, daß dieses Volk auserwählt sei zum Überleben unter allen Völkern, die auftauchen und hingerafft werden, mit Hegel zu sprechen, durch die »Furie des Verschwindens«, so entstand eine unlösbare Antinomie. Reinheit der Lehre: dann konnte dieses Volk der Unmündigen nicht überleben. Aron argumentiert sehr scharf:

> Ein beklagenswertes, ein Volk von Märtyrern wäre es dann!
> Kein Volk erfaßt mehr als einen Teil des Bildes,
> das den faßbaren Teil des Gedankens ausdrückt.
> So mache dich dem Volk verständlich, auf ihm angemessene Art.

Das beeindruckt den Propheten durchaus nicht. Es ist ein windschiefes Gespräch zwischen den Brüdern, das hier abläuft. Moses hat die Verheißung für das Volk Israel nicht wahrgenommen. Als er die Tafeln zertrümmert, hat sich Gott von ihm abgewendet. Nun spricht Gott durch Aron:

> Kleinmütiger! Du, der du Gottes Wort hast,
> ob mit oder ohne Tafeln:
> Ich, dein Mund, bewahre deinen Gedanken, wie
> immer ich ihn ausspreche.

Auch der Gedanke in Moses ist ohnmächtig geworden. Als Moses die Gesetzestafeln vorweist als Ausdruck seines Gedankens, antwortet Aron sehr richtig, indem er darauf hinweist, daß diese Tafeln »auch nur ein Bild, ein Teil des Gedankens« sind. Eine zum Bild gewordene Metapher, wie man spöttisch sagen könnte. Seit aber das Bild der steinernen Tafeln zertrümmert ist, hat sich Gott offensichtlich selbst für eine neue Bildhaftigkeit entschieden: um des Überlebens der Israeliten willen. Da ist plötzlich die Feuersäule und die Wolkensäule. Moses kann bloß noch wüten: »Götzenbilder.« Aron jedoch antwortet in einer scheinbaren Blasphemie, die aber nicht als solche gesühnt wird. Er repliziert gegen den Vorwurf, die himmlischen Zeichen seien götzenhaft, mit abgründigem Hohn: »Gottes Zeichen, wie der glühende Dornbusch.«

Das Niedersinken des verzweifelten Moses, dem Aron davonzieht mitsamt dem Volk, welches überleben wird im Kompromiß, also wohl mit der Billigung Gottes, erfolgt abermals als geheime Erleuchtung. Der Prophet hat recht daran getan, das Bild und Abbild zu zerstören, denn: »Du sollst dir kein Bildnis machen.« Der Weg vom Wort zum Bild bedeutet Unreinheit der Lehre. Allein, es gibt auch den Weg vom Gedanken zum Wort. Der bedeutet nicht Unreinheit. Dennoch kann ihn Moses nicht beschreiten. »O Wort, du Wort, das mir fehlt!«

Es erfolgt abermals eine Peripetie. Wie es zu diesem jähen und vollständigen Umschwung zu kommen vermochte, hat der Dramatiker Schönberg nicht begründet. Der von ihm niedergeschriebene dritte Akt von *Moses und Aron*, bloß eine einzige Szene umfassend, wird eingeleitet durch folgende Regieanmerkung: »Moses tritt auf, ihm folgt Aron, gefesselt, ein Gefangener, wird hereingeschleift, von zwei Kriegern an Schultern und Armen festgehalten. Nach ihm die siebzig Ältesten.«

Aron ist nicht kleinmütig und fragt aufbegehrend: »Willst du mich morden?«, worauf ihm verächtlich der Bescheid wird: »Es geht nicht um dein Leben ...« Nun spricht Moses fast monologisch, unbeirrt durch die Einwürfe des Bruders, der sich rechtfertigen möchte ob der Wunder, die er zu tun imstande war. Er schlug an den Felsen, und es kam erquickendes Wasser aus dem Gestein. Der Einwand des zornigen Moses ist fast komisch:

> Da schlugst du auf den Felsen, statt zu ihm zu sprechen,
> wie dir befohlen, daß Wasser aus ihm fließe...
> Aus dem nackten Felsen sollte das Wort Erquickung schlagen.

Schönberg selbst kam nicht zurecht mit diesem Dilemma, wie er seinen Freunden und Schülern gestand. Noch 1934 war er, in der New Yorker Emigration, mit der Text-Neufassung zum dritten Akt beschäftigt. Der ist und bleibt – als Dramaturgie – unentschieden und unbefriedigend. Moses hat offensichtlich, zwischen dem zweiten Aktschluß und dem neuen Auftritt, aus der Ohnmacht wieder zur Erleuchtung gefunden, und damit zur Macht. Die reine Lehre soll wiederhergestellt werden. Die siebzig Ältesten, die dem Tanz um das Goldene Kalb ebensowenig gewehrt hatten wie den Blutopfern, stehen nun bei Moses und gegen Aron.

Auch die göttliche Kraft aus dem Dornbusch scheint bei ihm zu sein. Als Moses befiehlt, dem Wehrlosen die Fesseln abzunehmen, damit Aron frei sei und lebe, »wenn er es vermag«, erhebt sich Aron, um sogleich tot umzufallen. Die Gottheit hat sich von ihm abgewandt. Allein, auch Moses verkündet nun den Kompromiß. In Form eines – hypothetischen – Urteils: Immer wenn das Volk Israel sich unter die Völker mische, aber die Auserwähltheit verwechsle mit dem banalen Welterfolg, werde Israel »wieder heruntergestürzt werden vom Erfolg des Mißbrauches, zurück in die Wüste.«

Das letzte Wort des Librettos ist eine asketische Verheißung des Propheten, die sich sonderbar ausnimmt: angesichts von Umständen, die Arnold Schönberg im Exil zum neuen Nachdenken zwangen über das jüdische Außenseitertum. Moses verkündet:

> Aber in der Wüste seid ihr unüberwindlich und
> werdet das Ziel erreichen:
> Vereinigt mit Gott.

Warum aber hat er ihn nicht mehr vertont, diesen dritten Akt? Darüber wurde viel gerätselt. Im Anhang zur Partitur hat Gertrud Schönberg eine Reihe von Briefstellen aneinandergereiht: sie umfassen die Zeitspanne von 1931 bis 1951. Noch nach dem Kriegsende (1949) heißt es: »Aber ich habe mir bereits weitgehende Vorstellungen über die Musik des III. Aktes gemacht und glaube, daß ich sie in wenigen Monaten werde schreiben können ...« Zwei Jahre später ist der Plan aufgegeben worden: angeblich wegen des »nervösen Augenleidens«. Daher heißt es nun: »Einverstanden, daß der dritte Akt eventuell ohne Musik, bloß gesprochen, aufgeführt wird, falls ich die Komposition nicht vollenden kann.«

Dabei ist es dann geblieben.

In einem Brief vom 15. März 1933 schreibt Schönberg an den österreichischen Schriftsteller Walter Eidlitz, der ihm sein Buch über den Berg Sinai und die mosaische Konstellation geschickt hatte: »Mein dritter Akt, den ich wenigstens zum viertenmal umarbeite beziehungsweise neu schreibe, heißt derzeit noch immer: Arons Tod. Hier haben mir bisher einige fast unverständliche Widersprüche der Bibel die größten Schwierigkeiten bereitet.« Dann kommt er auf die kontrastierenden Berichte des biblischen Textes zu sprechen, wo einmal gefordert wird, das Wasser aus dem Felsen herauszuschlagen, ein andermal jedoch vom »Besprechen« des Felsens durch das Wort die Rede ist. Schönberg hatte die Widersprüche dadurch dramaturgisch nutzen wollen, daß er die Aktion des Schlagens dem Hohenpriester Aron zuordnete, die des wundertätigen Wortes aber dem Moses. Dennoch blieben Zweifel. Sie haben schließlich dazu geführt, daß Schönberg den dritten Akt nicht vertonte und wohl auch das Libretto, trotz aller Umarbeitungen, als provisorisch empfand.

Seitdem gibt es bei Theateraufführungen von *Moses und Aron* die Alternative, bloß die vertonten zwei Akte aufzuführen und damit die Oper als Fragment zu präsentieren oder einen formalen Abschluß des Geschehens dadurch zu erzwingen, daß man den dritten Akt zwar als dramatischen, doch eben nicht mehr als musikdramatischen Vorgang auf die Bühne bringt.

Es bleibt aber zu fragen, ob jenseits der persönlichen Motivationen, die Schönberg zum Verzicht auf eine Komposition des dritten Aktes zwangen, im Werk selbst ein Element zu finden ist, das – vielleicht seit Beginn der Arbeit – die Unvollendbarkeit voraussetzte. Arnold Schönberg hatte sich in *Moses und Aron* ein ähnliches Lebensproblem gestellt wie sein österreichischer Landsmann Robert Musil: Die Synthese herbeizuführen zwischen der Exaktheit und der Ekstase. Vielleicht ist es mehr als der Zufall von Biographien, wenn beide Werke, die einen solchen Versuch unternahmen, als Fragment auf uns gekommen sind: der Roman vom *Mann ohne Eigenschaften* und die Oper *Moses und Aron*. Zwei Werke, von denen die These verteidigt werden darf, daß sie von Anfang an unvollendbar sein mußten.

Arnold Schönberg hatte als Tonsetzer die Möglichkeit, mit Hilfe von strengen musikalischen Formen die äußerste Irrationalität des Bühnengeschehens gleichzeitig walten zu lassen *und* dialektisch »aufzuheben«. Das Zwischenspiel zwischen dem ersten und zweiten Akt der Oper, das einem kleinen Chor vor dem Vorhang die Aufgabe gestellt hat, die divergierenden und scharf antithetischen Auffassungen des jüdischen Volkes während der Abwesenheit des Propheten auszudrücken, wurde von Schönberg in großartiger Weise zum Träger einer solchen Synthese aus Exaktheit und Ekstase. Die Meinungen werden leise und eindringlich vorgetragen, bisweilen in jüdischem Tonfall: »Moses? Nie kehrt er wieder! Wo ist sein Gott? Wo ist der Ewige?« Musikalisch aber hat Schönberg alle Divergenzen in der strengen Form einer Doppelfuge zusammengefaßt. Es war wohl ein analoger Einfall, ohne daß Schönberg daran gedacht haben mochte, der Richard Wagner veranlaßte, das Chaos der nächtlichen Prügelei zu Nürnberg gleichfalls mit Hilfe der Fugentechnik zu bewältigen.

In ähnlicher Weise wurde auch der musikalische Aufbau des zweiten Aktes von *Moses und Aron*, das sich steigernde Geschehen nämlich um das Goldene Kalb, die erotische Raserei, die Blutorgie, als ein Nacheinander von oratorischen Formen absoluter Musik konzipiert. Die musikalische Analyse stellt fest: »Die ganze Szene kann verstanden werden als eine Vokalsinfonie in fünf Sätzen mit vorausgehendem Rezitativ.« Fanfaren leiten sie ein, diese Sinfonie, die dann zum »Tanz der Geschlechter« führt. Ein zweiter Satz als Adagio. Ein Marsch beim Einzug der Stammesfürsten. Der Tanz im Walzertakt um das Goldene Kalb, ein gewaltiges sinfonisches Finale schließlich, das leise ausklingt. Das Bühnengeschehen wird offensichtlich bestimmt durch den musikalischen Ablauf. »Alle Bewegung auf der Bühne hat aufgehört.«

Wie konnte dies musikalisch fortgesetzt werden? War ein weiteres Zwischenspiel geplant zwischen dem zweiten und dritten Akt? Es hätte den Umschlag der Machtverhältnisse darstellen müssen: den Weg des Moses aus der Ohnmacht zu neuer Macht. Das aber hätte vorausgesetzt, daß Moses die Ältesten, und mit ihnen das Volk, abermals für sich gewinnen und gegen Aron aufbringen konnte. Doch mit welchen Mitteln? Wohl nur mit dem Wort, das ihm nicht zu Gebote stand, also mit den Mitteln des Bruders Aron. Ein Prinzip der Bildlosigkeit hätte sich des Wortes bedienen müssen und damit des Bildes, wie Aron dem Bruder vorhalten durfte.

Musik aber konnte eine solche Wortlosigkeit nicht aufheben: weder in Form der musikdramatischen Sprache, die das Wort voraussetzt, noch als absoluter Tonsatz. Das Konzept der Oper *Moses und Aron* erwies sich als unausführbar. Die reine, bildlose und sogar wortlose Gotteslehre ließ sich nicht mitteilen: sie blieb innere Vision des erleuchteten Propheten. Das Fehlen des Wortes führte zur Einsamkeit und dadurch, wie Schönbergs dritter Akt demonstriert, zur Tyrannei. Gott hat sich am Schluß der Oper abgewandt von seinem Propheten. Was Schönberg geplant haben mochte als ein Werk von der Entstehung und temporalen Unsterblichkeit des Volkes Israel, war ihm unter den Händen zum Endspiel geraten. Das Spiel vom Propheten Moses und vom Hohenpriester Aron ist gleichsam ein Endspiel der Oper, auch eine Oper in Form eines Endspiels. Vielleicht hat der einsame und exilierte Schönberg das gespürt, so daß er keinen neuen Versuch unternahm, die terroristische Ekstase des Propheten durch Musik abermals aufzuheben. Der dritte Akt von *Moses und Aron* ist kein Spiel von Menschen und für Menschen. Das Volk ist bloß noch ausführendes Organ von Befehlen, die keine Göttlichkeit mehr verraten. Sogar der Dialog zwischen den Brüdern bricht ab. Moses ist allein geblieben: bildlos, wortlos, mächtig und einsam. Es ist die Welt einer Götterdämmerung, der die musikalische Katharsis verweigert wurde.

VI. Jerusalem 1983
Literaturgespräche auf dem Mount Skopus

Auf dem Rückweg vom Sinai brachte uns dann der Autobus ans andere Ufer des Roten Meeres. In Sharm-el-Sheik konnten wir sehen, wie sich jenes nach biblischem Bericht so stürmische Rote Meer mit dem Ozean vereinigt.

Gerade hier war zu spüren, daß man wohl dem Ende einer provisorischen Okkupation entgegenschaute. Jimmy Carters Besuch in Israel hatte die Möglichkeit eines Friedens mit Ägypten eröffnet. Dafür war die Rückgabe des Sinai-Geländes an Ägypten eine selbstverständliche Voraussetzung. Hier in Sharm-el-Sheik hatten sich während der Besetzungszeit die emeritierten Veteranen angesiedelt. Allein, sie hatten offenbar erfahren müssen, daß ihr Bleiben nicht für den Lebensabend reichen würde. Viele der weißen und heiteren Wohnhäuser wirkten jetzt bereits verlassen. Gleichsam ein Kurort ohne Kurgäste. Dann ging es zurück mit dem Bus nach Elath. Hier übernachteten wir im israelischen Hotel: nach wie vor in Israel. Drüben lag das immer noch feindliche Königreich Jordanien.

Abermals nachdenklich, wie in jenen Stunden am Fuße des Mosesberges, kehrte ich bald darauf, nach der Geburtstagsfeier im King David und am 19. März 1979, nach Deutschland zurück. Der Gedanke an die Gesetzestafeln vom Sinai beschäftigte mich seitdem immer von neuem. Bis auf den heutigen Tag.

Für Thomas Mann war in seiner Erzählung der Dekalog einfach verstanden worden als »Das Gesetz«.

War aber die mosaische Gesetzgebung, nämlich die Grundlage des Judentums und mit ihm des Christentums, schlechthin gleichzusetzen mit den Zehn Geboten und Verboten? Gipfelnd in dem Bildnisverbot und dem Tötungsverbot?

Die jüdische Theologie möchte, wie es scheint, diese Reduzierung auf den durch göttliches Geheiß und durch den Propheten eingegrabenen Text erweitert sehen. Für das jüdische Bibelverständnis bedeutet die Offenbarung vom Sinai nicht allein die Übergabe der beiden Gesetzestafeln, sondern die Entstehung der Thora. Der Maler Marc Chagall muß diese Lehre aus seiner ostjüdischen Jugenderfahrung ins weitere Leben mitgenommen haben. In seiner Konzeption des Sinai-Geschehens ist der Prophet Moses, im Wortsinne, nicht allein »im Bild«. Eine andere Gestalt, gleichsam ohne Antlitz, überbringt vom Sinai gleichzeitig auch die wohlbekannte Thorarolle. Diese Lehrmeinung geht offenbar bereits auf den babylonischen Talmud zurück.

Wird diese Dogmatik jedoch reflektiert, so muß man in einer solchen Auslegung der Gesetzesfindung vom Sinai auch schon die erste Möglichkeit einer Sezession innerhalb des Judentums angelegt finden.

Das Bild des Pantokrator im Katharinenkloster hatte die tiefe Verbundenheit des Nazareners mit den Propheten vom Sinai, also mit Moses und Elias, erkennen machen. Diese Vision wird durch die Evangelien weitgehend bestätigt. Immer wieder bezieht sich Jesus von Nazareth auf den Satz: »Es steht geschrieben. Sicut Scripturas.« Folgt man jedoch der jüdischen Theologie aus der Zeit der Talmudentstehung, so wird vieles von dem als biblisches Dogma vorausgesetzt, wogegen sich später der Nazarener mit leidenschaftlicher Härte gewendet hatte. »Die Hohenpriester und Schriftgelehrten.«

Wäre es so, daß unser heutiges Bild von der mosaischen Gesetzgebung sowohl die tiefe Zusammengehörigkeit des Alten wie Neuen Testaments bedeuten mag, aber auch die scharfe Trennung zwischen der alten und der neuen Lehre?

Die katholische Tradition des europäischen Mittelalters unterstrich die Glaubensspaltung. Das wunderbare Frauenbild der Synagoge an der Wand des Straßburger Münsters trägt die Binde vor den Augen. Die Binde des Nichtsehens und der leeren Meinung. Dagegen steht die siegreiche, ziemlich hochmütige Ecclesia Militans.

Vielleicht gerade deshalb haben alle evangelischen Reformatoren des sechzehnten Jahrhunderts die Einheit des Alten und Neuen Testaments nachdrücklich behauptet. Vor allem die Calvinisten und die angelsächsischen Pilgerväter. Daher auch die Überlieferung der altjüdischen Namengebung von Isaac Newton, Jonathan Swift über Abraham Lincoln bis zu Samuel Beckett.

Die Anregung zur dritten Reise nach Jerusalem im Jahre 1983 ging aus von den »Freunden der Hebräischen Universität« in der Bundesrepublik Deutschland. Vor allem unser Göttinger Kollege Albrecht Schöne, Professor für neuere deutsche Literatur an der Universität Göttingen, war die treibende Kraft gewesen. Mit ihm und den von ihm vorgeschlagenen Fachkollegen der Germanistik zusammen abermals nach Israel zu reisen war eine Verlockung. Ich nahm die Einladung gerne an und wurde dann gebeten, wenn irgend möglich, den Eröffnungsvortrag in Jerusalem zu halten. Geplant war nämlich eine gemeinsame Tagung israelischer und deutscher Literaturwissenschaftler. Das Thema war unser aller Grundthema:

Die Neudeutung und Überprüfung deutscher Literatur der Vergangenheit nach dem Holocaust. Auch wenn man einräumen möchte, daß Theodor W. Adornos überscharfe Frage nach der Möglichkeit deutscher Dichtung »nach Auschwitz« eine rhetorische Frage gewesen war, blieben tiefe Zweifel, vor allem in Israel, ob es überhaupt eine gemeinsame wissenschaftliche Zusammenarbeit geben könne: »nach Auschwitz«. Wir waren jedoch der Meinung, Albrecht Schöne, mein Tübinger Kollege Wilfried Barner und ich, daß man das gemeinsame Literaturgespräch wagen könne. Die Reise nach Jerusalem war auch eine Reise zu Nathan dem Weisen. Die Ringparabel wird dem Sultan Saladin in Jerusalem vorgetragen.

Damit war auch für mich die Thematisierung des Eröffnungsvortrages festgelegt. Die Rede mußte hinführen zum Weisen Nathan und zu seinem Konzept der Toleranz. Es war das gemeinsame Konzept Gotthold Ephraim Lessings und seines Freundes Moses Mendelssohn. Es war auch das Konzept Moses Mendelssohns und seines anderen großen Freundes: Immanuel Kants in Königsberg.

Unter dem Eindruck jener Frühlingsmonate im Jahre 1979 hatte ich in Jerusalem begonnen, die Erinnerungen an mein bisheriges Leben zu ordnen zu dem Versuch, das damals – von mir aus gesehen – Wesentliche nun, als ein »Siebziger«, schriftlich festzuhalten. Die ersten Kapitel des Buches, welches dann den Titel *Ein Deutscher auf Widerruf* erhalten sollte, waren bereits damals auf dem Hügel von Giwath Ram und auf der Schreibmaschine in meinem Zimmer des Beth Belgia entstanden. Die ersten Entwürfe hatte ich den israelischen Freunden vorgelesen. Auch Gershom Scholem hatte noch zuhören können. Bei dieser neuen Reise im Jahre 1983 stand ich vor seinem Grab.

Für mich verbanden sich alle Reflexionen sowohl über die Perioden der deutschen Literaturentwicklung wie über die Geschichte der deutsch-jüdischen Symbiose in seltsamer Weise mit meinem eigenen Unterfangen, das eigene Erleben als Erzähler zu fassen und dadurch zu tradieren. Eben dieses Spannungsverhältnis zwischen dem subjektiven und dem historischen Ablauf sollte mein Eröffnungsvortrag spürbar machen. Als Übereinstimmung wie als Antagonismus. Meine Rede wurde angekündigt unter dem folgenden Titel: *Das Gedächtnis und die Geschichte*.

Ein großer Vortragssaal mitten in der Stadt, also nicht in der Universität, die wieder auf dem Mount Skopus errichtet worden war. Mein Vortrag war offensichtlich mit großer Spannung erwartet worden. Viele Menschen waren gekommen, es war auch Unruhe spürbar, das wußten wir alle, hatten es auch gehört. So viele Professoren aus Deutschland waren jetzt und hier zu Gast. Wer mochten sie sein, was mochten sie gewesen sein? Es zeigte sich, daß es vielleicht richtig gewesen war, gerade mich mit dieser schwierigen Aufgabe des ersten und öffentlichen Redners zu betrauen. Ich sagte damals:

> Wir sind nach Jerusalem gekommen, um mit unseren israelischen Freunden und Kollegen nachzudenken über die Geschehnisse und Erleidnisse einer jüdisch-deutschen Literaturgeschichte. Die aber gehört, um den Ausdruck unseres verstorbenen Kollegen Walter Muschg zu verwenden, zum Bereich einer *Tragischen Literaturgeschichte*. So viele Hoffnungen, so viele Entwürfe, so viel Vergeblichkeit, und bei alledem: so viel gültige Leistung. Wäre es anders, so daß im Gedächtnis bloß noch das Scheitern bliebe, die verlorene Illusion: dann freilich bliebe unser geplantes Symposion ohne eigentliche Substanz.

Es hat sich aber gegeben: die jüdisch-deutsche Literatursymbiose. Man wird sie geschichtlich situieren können. Das Ende ist datierbar. Es kam vor fünfzig Jahren: am 30. Januar 1933. Davon möchte ich ausführlicher berichten: aus eigener Erinnerung. Wo jedoch soll man die Anfänge erblicken? In der deutschen, fast um ein Jahrhundert historisch verspäteten Aufklärung, das ist unbestreitbar. Ein Geschichtsprozeß aber mit seinen Widersprüchen kann nicht genau fixiert werden. Da gibt es keinen Schicksalstag, und wohl auch kein Schicksalsbuch.

Mein Versuch, die Anfänge einer jüdisch-deutschen Literaturgeschichte zu situieren, greift zurück auf das einstmals Gelernte aus dem Barmitzwah-Unterricht. Da lernten wir, im Jahre 1920, es gäbe drei große Abschnitte in der jüdischen Geistesgeschichte: stets verbunden mit dem Namen Mosche. Zuerst der Gesetzgeber und Prophet; dann Mosche ben Maimon; schließlich Mosche ben Mendel. Vielleicht hat es Moses Mendelssohn selbst ähnlich verstanden, denn in seinem *Phädon*, also den als Adaption Platons verstandenen *Gesprächen über die Unsterblichkeit der Seele*, beruft er sich erstaunlicherweise sowohl auf Plotin wie auf Maimonides. Dazu auf Leibniz natürlich, und auf Christian Wolff, nicht minder natürlich.

Vielleicht ist dieser *Phädon* von Moses Mendelssohn in der Tat so etwas wie ein Anfangsdokument im Bereich der Literatur. Dann wäre das Jahr 1767, als der *Phädon* bei Friedrich Nicolai in Berlin herauskam, mit einem schönen Eingangskupfer, das den Sokrates im Kerker zeigt, gleichsam als Gründungsjahr einer jüdisch-deutschen Symbiose im Bereich der deutschen Sprache und Literatur zu verstehen.«

Es war unabweisbar, daß meine Rückschau, die ebenso den Geschichtsablauf zwischen 1767 und 1933 wie auch den Ablauf meines eigenen Lebens vor und nach dem »großen Widerruf«, zu analysieren hatte, zurückführte zu jenen beiden Männern, die alle spätere Symbiose bereits als Denkspiel gewagt hatten. Zu Lessing und Moses Mendelssohn. Mithin zum Weisen Nathan. Die Lehre von der Toleranz, freilich. Allein, es gab auch, wie wir alle wußten, jenen für uns zeitgenössischen Begriff einer »repressiven Toleranz«. Was heißen soll: Tolerierung des Abscheulichen. Wegschauen, schweigen, weghören. Gleich den heiligen drei Affen. »Komm, gehen wir auf die andere Straßenseite. Da geht einer mit einem gelben Stern!« Der Schluß meiner Eröffnungsrede durfte nicht schweigen von alledem:

> Für die Menschen meiner Generation und mit ähnlichem Lebenslauf bedeutet das Jahr 1933 die Zäsur schlechthin. Was ich vor fünfzig Jahren mitansehen mußte, veranlaßt mich insgeheim, bei jeder neuen Begegnung in Deutschland mich zu fragen: »Wie hätte der sich damals verhalten?« Ich war froh und bestätigt, als ich jüngst bei Albrecht Schöne ganz ähnliche Überlegungen entdeckte. In seiner Rede zur »Göttinger Bücherverbrennung 1933« wird nicht allein, so wie hier und heute abend, gefragt, warum die Weimarer Republik zusammenbrechen konnte wie ein Bauwerk, das den Gesetzen der Statik nicht entsprach.
>
> Schöne analysiert das Verhalten der Professoren und Studenten von damals und stellt fest: »Willentlich oder unwillentlich, wissentlich oder unwissentlich haben sie dem, was da heraufzog, in vielfacher Hinsicht Vorschub geleistet. Im übrigen haben sie geschehen lassen, was jetzt geschah.«

Das ist die Antwort des Historikers. Sie führt aber redlicherweise sogleich zur Frage ad se ipsum: »Anzunehmen, daß wir heute Lebenden insgesamt anders uns verhalten hätten als die früheren, sofern wir aufgewachsen wären unter gleichen Bedingungen, unter den gleichen Einflüssen, mit den gleichen Erfahrungen, gibt es keinen zureichenden Grund.«

Auch das genügt noch nicht, kann nicht genügen. Albrecht Schöne fährt also fort: »Schärfer gefragt: Würde man unter gänzlich gleichen Voraussetzungen (mit deren Wiederkehr noch keiner ernsthaft rechnen will) in gleicher Weise sich verhalten?« Die Frage bleibt ohne Antwort, und es kann sie auch keiner von uns Heutigen beantworten.

Hier ist Jerusalem. Hier spielt die Geschichte vom Weisen Nathan, vom Sultan Saladin, vom Tempelherrn: als eine Parabel, worin Feinde zu Freunden werden können. Wenn irgendwo, so fand sich hier, in Lessings Text, das Grundgesetz der jüdisch-deutschen Lebensgemeinschaft. Selbst darin, daß der weise zugleich ein reicher Nathan ist, so daß der Tempelherr höhnen darf:

Seinem Volk ist reich und weise
Vielleicht das Nämliche.

Wie schrecklich sehen wir sie heute verwandelt: die islamische, die jüdische und die christliche Welt. Wir aber müssen an die Arbeit gehen. Die neudeutsche Floskel von der »Bewältigung« einer Vergangenheit ist mir tief zuwider. Abermals Gewalt nebst Sieg des Stärkeren. Nichts wurde bewältigt, und Forscher können nicht damit rechnen, daß man ihr Erforschtes beherzigt.

Es gibt in *Nathan der Weise* eine kaum beachtete,

vielleicht schreckliche Replik. Nathan und der Tempelherr sind, aus unterschiedlichen Impulsen, auf der Suche nach der Vergangenheit. Ahnungsvoll meint der junge Christ vor dem Abgehen:

> Der Blick des Forschers fand
> Nicht selten mehr, als er zu finden wünschte.

Nathan überdenkt den Satz, zitiert ihn abermals, um dann fortzufahren:

> Der Forscher fand nicht selten mehr, als er
> Zu finden wünschte. – Ist es doch, als ob
> In meiner Seel' er lese! – Wahrlich ja;
> Das könnt' auch mir begegnen.

Der zionistische Blick

Die Bedenken gegen unsere Tagung waren in der Stadt Jerusalem trotzdem nicht verstummt. Einige Tage nach dem Eröffnungsabend, der gut aufgenommen wurde, gab es gereizte israelische Einwände gegen einen anderen Abendvortrag. Er war – man denke – dem Werk Johann Wolfgang Goethes gewidmet. Einer durchaus mit Gründen aufwartenden Abwehrhaltung älterer Israelis gegenüber Richard Wagner und Richard Strauss sollte offenbar in der Ablehnung aller Beschäftigungen auch mit Goethe eine nun wirklich unbegründete Parallelaktion beigesellt werden. Der Vortrag des deutschen Kollegen war untadelig in der Form und der Gesinnung. Allein, es wurde in der Stadt, vor allem auch in Teilen der Presse, die bloße Tatsache eines Goethe-Vortrags fast zur Zumutung hochgespielt.

Wir ließen uns trotzdem nicht beirren. Erfreulicherweise bestand Übereinstimmung in dieser Hinsicht zwischen den israelischen und deutschen Kollegen wie auch innerhalb einer zahlreichen interessierten Hörerschaft, die sich in unserem Hörsaal auf dem Mount Skopus eingefunden hatte.

Es ist unmöglich, die innere Spannung *und* auch die äußere Beglückung zu beschreiben, die uns damals wohl alle erfüllte. Immer wieder mußte man aus dem Fenster schauen. In den Pausen zwischen den Vorträgen standen wir auf den breiten Terrassen und schauten hinüber nach Jerusalem. Dort unten lag der Garten von Gethsemane. Drüben glänzten die beiden Kuppeln der Moscheen auf dem einstigen Tempelberg. Gold und Silber. Immer wieder alles zerstört, immer wieder unzerstörbar. Von beidem mußte gesprochen werden, auch im Hörsaal.

Die räumliche Ferne und die zeitliche Nähe wirkten zusammen. Unser Thema hatte sich, wie konnte es anders sein, auf die Bücher und Autoren der zwanziger Jahre konzentriert. Da hatte es jüdische Autoren gegeben vom Range eines Alfred Döblin, Joseph Roth und Franz Werfel, die sich in katholische Konvertiten verwandelten, als es um Leben und Tod ging. Jüdische Autoren vom Range eines Karl Kraus oder Kurt Tucholsky oder Alfred Kerr wurden innerlich verzehrt vom jüdischen Selbsthaß. Kurt Tucholsky hatte es vorgezogen, im schwedischen Exil »Hand an sich zu legen«, um einen Ausdruck von Jean Améry zu gebrauchen.

Seltsam aber, den israelischen Kollegen, die sich mit alldem als Fachleute zu beschäftigen hatten an den Hochschulen des Staates Israel und die weitgehend selbst nach Palästina gekommen waren, um das nackte Leben zu retten, erschienen solche Lebensläufe, wie sich im Gespräch zeigte, als im Grunde befremdlich, wenn nicht gar als tadelnswert. Immer wieder stieß man auf den Einwand, diese tadelnswerten Autoren hätten besser getan, den Kontinent Europa zu verlassen und im Nahen Osten ein neues Leben zu beginnen. Mit einer neuen Sprache? Das wurde nicht ausdrücklich behauptet, denn die meisten dieser Einwanderer aus Mitteleuropa, diese Jeckes, taten sich selbst noch schwer mit der hebräischen Umgangssprache.

Trotzdem wurde immer ein Wort gebraucht, das mich seit meinen fünfzehn Jahren als Leipziger Professor mit Assoziationen ganz anderer Art versorgt hatte. »Der Ausweg«. Warum hatten Döblin und Roth und Tucholsky und die Selbstmörder Hasenclever und Ernst Weiss nicht den Ausweg des Zionismus für sich anerkannt? Es war immer noch der zionistische Rückblick auf die Anfänge unseres Jahrhunderts: auf den Antagonismus zwischen Theodor Herzl und Karl Kraus, später von Einstein und Rathenau, von Anna Seghers und Else Lasker-Schüler.

In der Moskauer Literaturtheorie des Stalinismus hatte man säuberlich unterschieden innerhalb einer tolerierten Literatur zwischen den kritischen Realisten und den sozialistischen Realisten. Die kritischen Realisten, auch wenn sie Herrligmann hießen oder Bertolt Brecht, wurden anerkannt nur als Kritiker der bürgerlichen Gesellschaft. »Aber sie sahen den Ausweg nicht.« Wie oft hatte ich das in Leipzig hören müssen. Welchen Ausweg? Man war geneigt, auch hier auf dem Mount Skopus eine Gegenfrage ähnlicher Art zu stellen. Die Schriftsteller Arnold Zweig und Wolfgang Hildesheimer hatten Palästina wieder verlassen. Werner Kraft blieb ein deutscher Dichter in Israel, den man öffentlich nicht zur Kenntnis nahm. Dem durchaus begabten Dramatiker Max Zweig, der sehr alt werden sollte, erging es ähnlich. War dies eine mögliche Alternative? Rückkehr oder dichterisches Verstummen? Es gab Augenblicke in den Gesprächen auf dem Mount Skopus, da man sich diesen Fragen zu nähern schien. Man wich dann auch wieder aus. Es gab keinen Vergleich zwischen dem stalinistischen und dem zionistischen Ausweg, das war unverkennbar.

Walter Benjamin und die »Deutschen Menschen«

Den Schulvortrag, gleichsam als Gegenstück angelegt zu meinem Eröffnungsvortrag über *Das Gedächtnis und die Geschichte*, hielt Albrecht Schöne. Er sprach mit Bedacht in Jerusalem über den toten Freund des Zionisten Gershom Scholem, über Walter Benjamin also, der im Exil trotz allem Zureden des Berliner Jugendfreundes und großen jüdischen Theologen nicht die Straße des zionistischen »Auswegs« hatte betreten wollen. Er war dann auf der unpassierbaren Straße zwischen Frankreich und Spanien, in Port Bou, ums Leben gekommen.

Benjamins kostbarstes Besitztum, das Bild des Angelus Novus von Paul Klee, war hingegen bei diesem Ausweg bis ans Ziel in Jerusalem gelangt. Oft hatte ich es in der Wohnung von Gershom Scholem anschauen können. Es blieb beängstigend und unergründlich.

Der jüdische Emigrant Walter Benjamin hatte sich zwar dem zionistischen Ausweg verweigert, doch besaß er genügend politische Klugheit, um Deutschland gleich zu Beginn des »Widerrufs« im Frühjahr 1933 zu verlassen. Er war in Frankreich geblieben. Dort unternahm er es bereits im Frühjahr 1934, eine Art

Gegenbild zu den lauten Losungen eines Reichsministers für Aufklärung und Propaganda zu entwerfen. Leise Dokumente wirklicher deutscher Ehre und Würde. Nicht abrufbar und nicht werbewirksam. Briefe »deutscher Menschen«, beginnend mit einem Brief Karl Friedrich Zelters nach Goethes Tod. Gerichtet an den Goethe-Freund und Kanzler von Müller. Den letzten Brief des schmalen Bandes hatte Franz Overbeck an Friedrich Nietzsche gerichtet.

Schaut man diesen unscheinbaren Band an, den sich Albrecht Schöne für seinen Schlußvortrag ausgesucht hatte, so wirkt alles daran, gleich dem Angelus Novus, beängstigend und unergründlich.

Ein graphisches Spiel mit den Buchstabenformen der sogenannten Fraktur.

Deutsche
Menschen

Von Ehre ohne Ruhm
Von Größe ohne Glanz
Von Würde ohne Sold

Im Buch selbst wird folgender Titel mitgeteilt:

Deutsche Menschen
Eine Folge von Briefen

Auswahl und Einleitung
von
Detlef Holz

Erschienen war das Buch im Vita Nova Verlag, Luzern 1936.

Der damalige Leser mußte also annehmen, jener bisher ganz unbekannte Detlef Holz habe sich entschlossen, auf der leichttragenden Woge damaliger Deutschtümelei mitzuschwimmen. Wer war Detlef Holz? Ein Pseudonym natürlich. Es handelte sich bei der Zusammenstellung und den Einleitungen um eine Exilarbeit von Walter Benjamin. Der Vita Nova Verlag war eine »linke« Verlagsgesellschaft, die möglicherweise gar nicht mit schweizerischem, sondern mit gerettetem deutschen Exilkapital arbeiten konnte. Übrigens ganz ohne Erfolg, wie man heute weiß.

Geheime Staatspolizei und Propagandaministerium hatten sich nicht hereinlegen lassen. Man war unterrichtet. Den »Deutschen Menschen« des Juden Walter Benjamin blieb die Einreise versperrt. Noch Jahrzehnte später und in der Nachkriegszeit konnte man das merkwürdige Bändchen, die letzte Buchveröffentlichung Walter Benjamins, in der Schweiz für wenige Schweizer Franken bei den Buchantiquaren erwerben.

Von diesem sonderbaren Buch also handelte, mit großem Recht, der Schlußvortrag unseres Symposions. Albrecht Schöne ging vor allem aus von Walter Benjamins Vorwort zu seiner Anthologie. Es handelt sich natürlich um einen Text in der »Sklavensprache«. Doch eben in diesem Zwang zur politischen Mystifikation entsteht ein bemerkenswertes spätes Dokument des Schriftstellers Walter Benjamin, der ein Leben lang Freude gehabt hatte am Versteckspiel der Pseudonyme und Mystifikationen.

Vorwort

Die fünfundzwanzig Briefe dieses Bandes umfassen den Zeitraum eines Jahrhunderts. Der erste ist von 1783, der letzte von 1883 datiert. Die Reihenfolge ist chronologisch. Außerhalb ihrer ist das folgende

Schreiben gestellt. Aus der Mitte des hier umspannten Jahrhunderts stammend, gibt es den Blick auf die Anfänge der Epoche – Goethes Jugend – frei, in welcher das Bürgertum seine großen Positionen bezog; es gibt ihn aber – durch seinen Anlaß, Goethes Tod – auch auf das Ende dieser Epoche frei, da das Bürgertum nur noch die Positionen, nicht mehr den Geist bewahrte, in welchem es diese Positionen erobert hatte. Es war die Epoche, in der das Bürgertum sein geprägtes und gewichtiges Wort in die Wagschale der Geschichte zu legen hatte. Freilich schwerlich mehr als eben dieses Wort; darum ging sie unschön mit den Gründerjahren zu Ende. Lange ehe der folgende Brief geschrieben wurde, hatte, im Alter von sechsundsiebzig Jahren, Goethe dieses Ende in einem Gesicht erfaßt, das er Zelter in folgenden Worten mitteilte: »Reichthum und Schnelligkeit ist, was die Welt bewundert und wornach jeder strebt. Eisenbahnen, Schnellposten, Dampfschiffe und alle mögliche Facilitäten der Communication sind es, worauf die gebildete Welt ausgeht, sich zu überbilden und dadurch in der Mittelmässigkeit zu verharren... Eigentlich ist es das Jahrhundert für die fähigen Köpfe, für leichtfassende praktische Menschen, die, mit einer gewissen Gewandtheit ausgestattet, ihre Superiorität über die Menge fühlen, wenn sie gleich selbst nicht zum Höchsten begabt sind. Laßt uns soviel als möglich an der Gesinnung halten, in der wir herankamen; wir werden, mit vielleicht noch Wenigen, die Letzten seyn einer Epoche, die so bald nicht wiederkehrt.«

Nach Abschluß unserer Tagung lud uns der Rektor der Hebräischen Universität in das berühmte Gästehaus der Stadt Jerusalem, also ins Mischkenoth Scha'ananim. Ein Vertreter der Stadt Jerusalem und des Staates Israel hat uns jedoch, wenn ich mich recht erinnere, nicht begrüßt. Trotzdem sind wir geradezu freudig, nicht bloß erleichtert über den Erfolg dieser ersten deutsch-israelischen Tagung von Germanisten wieder hinuntergefahren zum Flughafen Lod, wo das Flugzeug wartete. Abermals verspürte ich den Wunsch, es möge nicht meine letzte Reise nach Jerusalem gewesen sein.

VII. Jerusalem 1995
Salut und Kaddisch für Itzhak Rabin

Im traurigen Monat November wars,
Die Tage wurden trüber,
Der Wind riß von den Bäumen das Laub,
Da reist ich nach Deutschland hinüber.

Dies sind, wie man weiß, die berühmten Eingangsverse Heinrich Heines zu *Deutschland. Ein Wintermärchen*. Ich hatte den Text griffbereit im Gehirnkasten, als mein Planen (und Zögern) plötzlich zur Wirklichkeit geworden war: im traurigen Monat November mit den vielen Christengedenktagen nach Südosten zu fliegen. Ins Gelobte Land. Ins Heilige Land. Nicht zuletzt: ins sonnige Land am Meer.

Seit dem letzten Besuch in Jerusalem waren zwölf Jahre vergangen. Man hatte mir 1983 ein besonders schönes Gästezimmer der Universität zugedacht mit dem Blick hinüber nach Jerusalem, mit seinen Kuppeln und Türmen und den vielen schrecklichen Erinnerungen. Diesmal sollte ich, abermals als Gast der Hebräischen Universität, zuerst im Hotel untergebracht werden, übrigens demselben Hotel, in welchem dann nach der Ermordung von Itzhak Rabin auch die bundesdeutsche Delegation wohnen würde. Äußerer Grund für diese vierte Reise war gegeben durch den Wunsch der Philosophischen Fakultät, das neubegründete Magisterprogramm der Germanisten an der Hebräischen Universität mit ein paar Seminaren zu eröffnen. Außerdem hatte mich das Goethe-Institut in Jerusalem, das es im Jahre 1983 noch nicht gegeben hatte, zu einem Vortrag eingeladen. Ich habe dort, im Zusammenhang mit eigenen neuen Arbeiten, über meine *Erinnerung an Bertolt Brecht* gesprochen.

Über die Seminare an der Universität hatte sich Stéphane Mosès als Begründer des Germanistischen Instituts mit mir über das Thema *Einführung in Goethes »Faust«* geeinigt.

Das war das Programm gewesen dieser vierten Reise nach Jerusalem. Alles ist dann ganz anders gekommen, wie man weiß, weil ein paar Tage nach meiner Ankunft in Jerusalem der israelische Ministerpräsident Itzhak Rabin durch einen fanatisch frommen jüdischen Studenten der theologisch-orthodoxen Universität Bar Ilan zu Tel Aviv ermordet wurde. Ein jüdischer Mörder des jüdischen Ministerpräsidenten. Dergleichen hatte es, wie gleich nach dem Mordgeschehen allenthalben entsetzt geraunt wurde, in der tausendjährigen Geschichte einer jüdischen Diaspora noch nicht gegeben.

Ich war abgeflogen am 1. November, also zu Allerheiligen. Allein, in Frankfurt war das kein Feiertag wie »bei uns« in Baden-Württemberg. Allenthalben scheint sich der Ausgang unseres Jahrhunderts und Jahrtausends als fast unlösbarer Konflikt zwischen dem Dogmatismus grundverschiedener Religionen und dem nur scheinbar unaufhaltsamen Säkularisierungsdenken der bürgerlichen Gesellschaft zu präsentieren. Bertolt Brecht, um ihn abermals zu nennen, hatte, als ein Mann mit guten geschichtlichen Kenntnissen, allen diesen Vokabeln mißtraut: unaufhaltsam, unlösbar, unweigerlich, unmöglich. Alle erschienen ihm durchaus in bestimmten Konstellationen als möglich, lösbar, bedingt verrückbar. Im Gespräch mit Brecht hatte ich einmal nach dem Hörensagen von einem seiner dramatischen Entwürfe gesprochen, den ich noch nicht kannte. Ich nannte den Titel: »Der *unaufhaltsame* Aufstieg des Arturo Ui«. Brecht korrigierte dann: »Der *aufhaltsame* Aufstieg ...«

War er aufzuhalten, der religiöse Dogmatismus der Frommen im Staate Israel, der so liebevoll und ausgiebig, wie man wußte, von den ebenso Reichen wie Frommen in New York und Miami unterstützt wurde? Sie lehnten den Staat Israel in seiner Existenz ab; hielten ihn sogar für ein schweres religiöses Vergehen. Denn es steht geschrieben: Ein Staat Israel sei erst möglich nach dem Erscheinen eines Nachfolgers des Propheten Moshe. Also des Moshiak. Des Messias. Für diese These gab es viele Zitate in der schriftlichen Überlieferung des Judentums. Sie wurden zitiert. Weil Jesus von Nazareth nicht anerkannt wurde als Messias, war der israelische Staat ein religiöses Skandalon.

In der neueren Mystik jedoch eben dieses Staates war ein schlimmes Bündnis entstanden zwischen religiösem Dogmatismus einer solchen Art und einem sehr irdisch-aggressiven Nationalismus, dem Träumen von einem Groß-Israel. Uraltgeschichte des Judentums in Allianz mit dem Heroismus erfolgreicher Verteidigungskriege des Staates Israel, die sich zu Eroberungskriegen gewandelt hatten. Auf der einen Seite ein für Geschichtskenner fast unerträgliches Geschwätz von der notwendigen Rückkehr zur Wiedervereinigung der einstigen jüdischen Königreiche von Judäa und Samaria. Allein, die zehn Stämme, die sich auf zehn Söhne des Patriarchen Jaacob berufen hatten, waren im babylonischen Exil zur babylonischen Umwelt geworden. Sie waren im Grunde, wie das biblische Buch der Könige erkennen läßt, schon vorher weit entfernt gewesen von den strengen mosaischen Prinzipien der Gesetzestafeln. Vor den Nachstellungen im Reiche Samaria war der Prophet Elias, wie im Zweiten Buch der Könige geschrieben steht, als Flüchtling zurückgekehrt auf den Sinai.

Im Jahre 1995 aber war es möglich geworden, den

jüdischen Staat wirklich international zu sichern: mit allen Rechten und Pflichten eines demokratischen Gemeinwesens. Das jedoch war nur möglich, wenn das Gerede über Judäa und Samaria aufhörte und wenn die Eroberungsgebiete zurückgegeben wurden: um des Friedens willen. Die israelische Regierung unter Itzhak Rabin und Schimon Peres, Politikern also der Arbeiterpartei, war dazu bereit. Land gegen Frieden. Dann wurde, am 4. November 1995, Itzhak Rabin von einem Juden erschossen. So wie der ägyptische Friedenspolitiker Anwar-el-Sadat von einem ägyptischen religiösen Fanatiker getötet worden war.

Am Abend des 4. November schaute ich mir die Spätnachrichten auf dem Fernsehapparat meines Hotelzimmers an. Man zeigte Bilder einer riesigen Veranstaltung und einen Tumult, der zunächst nicht zu erklären war. Dann erschien eine sichtlich aufgeregte Ansagerin auf dem Bildschirm, die zögernd mitteilte: auf den Ministerpräsidenten Itzhak Rabin sei geschossen worden, man habe ihn in ein Nothospital gebracht. Ich war nicht beunruhigt und ging zu Bett. Man würde ihn dort sachkundig behandeln. Daran war nicht zu zweifeln. Früh am anderen Morgen rief mich ein völlig verzweifelter Stéphane Mosès an. Rabin war tot. Ermordet von einem Juden.

Bald darauf sah ich im Fernsehen Bilder und Vorgänge, die ich nicht vergessen kann. Ein so ungeheurer Zorn brach aus im Lande. Man hat später, mit dem gewohnten Klischee, mit welchem das völlig Unerwartete durch bekannte Vokabeln entschärft oder zugedeckt werden soll, von einer »schweigenden Mehrheit« gesprochen, die nun sichtbar geworden sei. Welch eine Verkennung. A silent majority! Aber die setzt doch einen demokratischen Parlamentarismus voraus mit Mehrheit und Minderheit. Hier jedoch war das lebendige neue Israel getroffen worden. Das war mehr als eine Mehrheit. Das waren die Menschen dieses Staates.

Allein die scheinbare Minderheit war in anderer Weise auch mehr als eine unansehnliche Minderheit. Am Morgen dieses 5. November zeigte man Bilder, die man dann in den darauffolgenden Tagen nicht mehr vorführte. Da saßen junge orthodoxe Juden im Gebetsritual. Sie schienen entrückt, bewegten sich in den liturgisch vorgeschriebenen Verbeugungen, die zu einer Trauerfeier gehören. Um wen trauerten sie? Nicht um Itzhak Rabin. Sie hatten sich zu einer Trauerfeier zusammengefunden für jenen Baruch Goldstein aus New York, der als Massenmörder hineingeschossen hatte in die Menge der betenden Moslems zu Hebron. Also im Heiligtum der Höhle Machpela, wo nach der Bibel die Patriarchen seit Abraham und Sarah ihre Ruhestätte gefunden hatten. Kaddisch für den Massenmörder, der in so schrecklicher Weise das Friedensgespräch verhindern wollte.

Als ich neun Tage später von Jerusalem zum Flughafen von Tel Aviv gefahren wurde, teilte man mir die neuesten Rundfunknachrichten mit. In den USA sei ein sehr hoher Dollarbetrag gesammelt worden. Zur Verteidigung des Mörders von Itzhak Rabin.

Man aß ein bißchen im Speisesaal des Hotels. Es war still. Alle flüsterten miteinander. Dann ging ich wieder zurück zum Fernseher. Jetzt stellte ich plötzlich fest, daß im Gedächtnis doch mehr Brocken der hebräischen Sprache zurückgeblieben waren, als zu vermuten stand: nach so vielen Jahrzehnten seit dem

Religionsunterricht eines Zwölfjährigen, der am 13. Geburtstag in die jüdische Gemeinschaft aufgenommen werden soll. Da aber muß er imstande sein, aufgerufen vom Rabbiner und an dessen Seite, den fälligen Text der Thora in liturgischem Gesang und vor der freigelegten Thorarolle vorzutragen. Die Eltern jüdischer Söhne pflegen bei diesem Aufruf zur Thora zu zittern. Wird er es können? Ein Versagen würde dann als Blamage der Familie empfunden. Ich habe damals meine Sache ganz gut gemacht und war für den Augenblick ein Stolz der Familie.

Plötzlich war ein bißchen davon wieder da. Wendungen der jüdischen Sprache, einstmals gelernt aus jüdischen Gebeten, halfen mir nun beim Verstehen der hebräischen Berichterstattung. Ich hatte nun, da ich nahezu zwei Tage, also bis zum Montagabend, vor dem Fernseher verharrte, drei Arten der Berichterstattung zur Auswahl. Am besten und offenbar sachlichsten in hebräischer Sprache. Die amerikanische Berichterstattung wurde gelenkt von einer tüchtigen Journalistin in Washington D.C. Sie erschien immer wieder im Bild und bestellte sich Einzelheiten beim zuständigen Team in Jerusalem. Dabei wurde ganz willkürlich manches ausgelassen und nicht gezeigt, was die Israelis – und mit Recht – für wichtig hielten.

Es gab auch eine französische Berichterstattung. Die kam aus Jerusalem selbst, von wo ein französisches Programm, wie ich später erfuhr, ausgestrahlt wird für die ganze französisch sprechende Menschheit. Kurz vor meiner Abreise aus Jerusalem kam auch ich selbst dort zu Wort. Diese Sendung in französischer Sprache war gut abgestimmt mit der israelischen Berichterstattung.

Am späten Nachmittag jenes 5. November, einem Sonntag, wurde vom israelischen Fernsehen ein im Wortsinne endloses Rundgespräch gesendet. Open End. Es begann am späten Nachmittag mit einer Gesprächsrunde von etwa zwanzig Teilnehmern, Männern und Frauen, und einem Moderator, der mir großen Eindruck machte. Für mich übertraf er alles, was ich in gleicher Funktion im Laufe der letzten Jahre im Fernsehen verschiedener europäischer Länder gesehen hatte. Ein stattlicher Mann um die fünfzig, gut angezogen, doch ohne irgendein Bemühen um interessante Krawatten oder andere Besonderheiten. In nichts wollte er ablenken vom Gespräch und von dem einzigen schrecklichen Thema, das zu behandeln war. Also vom Mord und vom Mörder. Er stellte ruhige Fragen, hörte zu, stellte ab und zu eine sachliche Gegenfrage.

Es war sonderbar, denn ich verstand natürlich nur einen Bruchteil der Argumente, also der Anklagen und Verteidigungen. Allein der Anblick der Gesichter, der Konstellationen, der Reaktionen am Tisch selbst war schlüssig. Man konnte sehen, worum es ging.

Da saß plötzlich der Itzhak Schamir, Vorgänger des ermordeten Ministerpräsidenten Itzhak Rabin. Abgewählt als Vorsitzender der konservativen Likud-Partei. Schamir war stets sehr unähnlich gewesen seinem Parteifreund und Vorgänger Menachem Begin. Der war ein konservativer und frommer Jude gewesen, der viel Leid ertragen mußte. Er wollte es gut machen als Politiker des Staates Israel. Als Menachem Begin bereit gewesen war, wie mir berichtet wurde aus dem Jahre 1979, mit dem amerikanischen Präsidenten Jimmy Carter einen Friedensschluß mit Ägypten vorzubereiten, war das eine große menschliche und politische Entscheidung. Seine Parteifreunde folgten ihm damals mit großem Widerwillen. Auch das hatte ich, also vor sechzehn Jahren, hier in Jerusalem gesehen und begriffen. Itzhak Schamir hatte damals, als zweiter Mann neben Begin, offenbar widerwillig folgen müssen. Er selbst hätte vermutlich das damalige Abkommen von Camp David scheitern lassen. Das hatte er später als Nachfolger bewiesen.

Nun saß er da, sollte antworten und die Position der Parteigegner des Ermordeten erläutern. Da sah man einen Menschen, der sich in eine uneinnehmbare Festung verwandelt hatte. Nichts drang zu ihm. Er machte kaum Bewegungen. Er sah zänkisch aus und unbelehrbar. Allein, so hatte er stets ausgesehen. Diesmal war alles versteinert. Es war offenbar für ihn nichts zu bedenken. Man ließ dann ab von ihm bei Fragen. Irgendwann war er aus der Runde verschwunden.

Man befragte andere führende Politiker des Likud. Deren Anblick war für mich schwer zu ertragen. Natürlich waren es jüdische Politiker, ältere Leute mit gepflegten weißen Haaren. Elegant angezogen, mit guten dunklen Anzügen. Übrigens hatte auch Itzhak Schamir ganz ungewohnt elegant ausgesehen. Jene konservativen Herren aber aus Jerusalem empfand ich plötzlich überhaupt nicht mehr als Juden. Sie sahen aus, wie gekränkte und für den Augenblick erfolglose Politiker einer Wohlstandsgesellschaft aussehen, wenn sie auf peinliche Fragen antworten sollen, aber nicht wollen. Hochmut, Dünkel, ganz emotionslos. Achelzucken, das besagen sollte: Ich kann doch nichts dafür. Einer von ihnen ging aus sich heraus, begann ausführlich zu reden, mit energischen Handbewegungen. Die Rede eines politischen Rechtsanwalts offenbar. Man ließ dann auch von ihm ab.

Noch schlimmere Augenblicke hielten die verschiedenen Fernsehanstalten am anderen Tage fest, dem

Montag der Trauerfeier und Bestattung. Diesmal beobachtete das Fernsehen einige andere Politiker des konservativen Lagers. Sie trauerten nicht, oh nein. Man warf einander, weil man sich unbeobachtet glaubte, ironische Blicke zu. Allein, man war natürlich empört und entsetzt. Ja, und betroffen.

Um auf die Sendung am Sonntagabend zurückzukommen: es war eine ungewöhnliche Sendung. Jener Moderator hatte die Runde der offiziellen Politiker eingeladen, wobei er die Parteifreunde von Rabin und Peres offenbar ausgespart hatte, da sie die Trauerfeier vorbereiten mußten. Aber man hatte einige jüngere Menschen eingeladen, offenbar populäre Israelis einer neuen Generation. Man hatte auch Popstars an den Tisch geholt, die dann ihren Auftritt hatten, der vorbereitet war und nun eingespielt wurde. Lieder der Trauer und der Hoffnung. Dann wurde man wieder zurückgeführt in die Gesprächsrunde.

Hier wurde plötzlich, und das war für mich die aufregendste Konstellation, der Rektor der Universität Bar Ilan befragt. Der höchste akademische Lehrer jenes Mörders, oder vielmehr, wie man heute bereits weiß, jener mörderischen Studenten seiner Hochschule. Ein rundes, starres Gesicht. Allein, der Ausdruck eines Menschen, der mit aller Kraft versucht, die Fassung zu bewahren, nichts nach außen dringen zu lassen. Merkwürdigerweise konnte ich in diesem Augenblick ganz gut verstehen, mit meinen Vokabeln, was man ihm vorwarf. Man hielt ihm vor, seine Hochschule einer jüdischen Orthodoxie habe Studenten hervorgebracht, die man einfach mit den Zöglingen fanatischer Moslems aus Teheran vergleichen müsse. Der Rektor bewegte kaum die Lippen. Er wehrte offenbar fast tonlos ab. Nein, mit Teheran könnte man das nicht vergleichen. …

Plötzlich befand ich selbst mich wieder, in meinem Hotelzimmer und am 5. November 1995, gleichzeitig im Jahre 1968, und in Tel Aviv und zu Besuch in der Universität Bar Ilan. Man hatte mich damals, bei meinem ersten Besuch in Israel, dorthin eingeladen. Ein Germanist von Bar Ilan hatte meinen Vortrag gehört über moderne Literatur im Festsaal der Loge Bne Brith. Er lud mich ein zu einem Gespräch in seiner Universität mit seinen Studenten. Professor Baruch Kurtzweil stammte aus Böhmen, dem nach wie vor seine Sehnsucht galt. Er war ein ausgezeichneter Kenner der deutschen Literatur und ein erbitterter theologischer Gegner von Gershom Scholem. Denn Scholem, der Nichtmystiker, der die ganze Welt der jüdischen Kabbala erschlossen hatte, mißfiel dem strengen religiösen Rationalisten Kurtzweil. Wir standen dann eine Zeitlang noch im Briefwechsel: fast bis zu seinem plötzlichen Tode.

Bar Ilan, eine ernste konservative theologische Hochschule, die nun im Verdacht stand, fundamentalistische und fanatische Mörder herangezogen zu haben. Dieser Rektor, den man vor sich sah, war sicherlich keiner von ihnen. Doch er hatte sich nun der Verantwortung zu stellen. Man schenkte ihm nichts in dieser Fernsehsendung.

Plötzlich wurde wieder eine Musiknummer eingespielt. Man sah einen Pianisten am Flügel. Zuerst fiel der Blick auf sein langes Haar, das hinten schön in einem Zopf zusammengehalten wurde. Als man näher hinschaute zum Klavierspieler, der übrigens vorzüglich war, sah man, daß er schon ältlich war, durchaus nicht mehr jung. Das üppige Haar auf dem Hinterkopf fehlte auf der vorderen Seite. Er begleitete, das war unverkennbar, einen Transvestiten. Vielleicht war es auch nur ein Counter-Tenor. Jedenfalls sang er ein offenbar sehr rührendes und trauriges Lied in einer Kleidung, die übergeschlechtlich wirkte. Sein Gesicht wurde in Großaufnahme gezeigt. Sehr gut rasiert. – Als ich später den israelischen Freunden davon erzählte, die ihn nicht gesehen hatten, wußten sie sogleich Bescheid. Sie nannten den Namen des Sängers und seines Begleiters. Beide waren populär.

Während diese Nummer ablief, schauten die boshaften Fernsehleute hinüber zu jenem orthodoxen Rektor der Universität Bar Ilan. Er hielt sich tapfer und unbeweglich, doch man mochte ahnen, was in ihm vorging: Sodom und Gomorrha. Das Feuer vom Himmel.

Alle Nachrichtensendungen des Sonntagabends behandelten nur ein einziges Thema: die Trauerfeier am nächsten Tag, also am Montag. »Ganz Israel«, wie die biblische Formulierung zu lauten pflegt, wurde in Jerusalem erwartet. Eine Million Menschen, wie man später feststellte.

Ganz Israel war an jenem Montag in Jerusalem. Auch die übrige Welt war in Jerusalem: Dergleichen habe ich in einem langen Dasein nicht erlebt. Nun geschah es hier, und in dieser Stadt. Einige Tage später durfte ich, als einer, der von draußen kam, den immer noch verstörten und zornigen Feunden erläutern, was sich inzwischen verändert hatte für sie und in der Welt. Es war zu erinnern an jenen Yassir Arafat, der einstmals ans Rednerpult der Vereinten Nationen getreten war im Gebäude am East River zu New York mit den Requisiten einer Knarre und eines Palmzweiges. Nun zeigte das Fernsehen einen tief erschütterten Arafat, der eng und ängstlich umgeben war von seinen schützenden Freunden. Rot im Gesicht, zögernd und nach Worten ringend. Es war mehr als Trauer über den Mord an seinem Gesprächs- und Friedenspartner. Er sprach gleichsam in eigener Sache.

Mehr als einmal in den vergangenen Jahrzehnten hatte es Anträge aus dem arabischen Lager gegeben, fast immer unterstützt durch die Sowjetunion und ihre Gefolgsstaaten, den Staat Israel auszuschließen aus der Gemeinschaft der Nationen. Ein Veto der Vereinigten Staaten hatte das immer verhindert.

Nun kamen die Vereinten Nationen zur Trauerfeier nach Israel. Nicht allein der Generalsekretär der UNO, auch nicht allein Felipe Gonzales als amtierender Präsident der Europäischen Union. Alle fünf Großmächte, denen das machtvolle Vetorecht in der Weltgemeinschaft zustand, waren auf höchster Protokollebene vertreten. Der Präsident der Vereinigten Staaten, der Primeminister des Vereinigten Königreichs, dazu der Prince of Wales als Vertreter der Königin. Der Präsident der Französischen Republik, die Ministerin aus Peking, der russische Ministerpräsident. Bei ihm gab es übrigens in der amerikanischen Berichterstattung während der Trauerfeier einen ironischen Zwischenfall. Die vorwitzigen Fernsehleute, einzig interessiert an den Aufträgen aus Washington, hatten sich, wie es in der Mediensprache heißt, »zu weit aus dem Fenster gelehnt«. Als der russische Ministerpräsident ans Rednerpult trat, stellte man ihn dem amerikanischen Fernsehvolk als Außenminister vor. Dann wurde hinzugesetzt, dieser Redner werde in Moskau bereits gehandelt als Nachfolger von Präsident Jelzin.

Das Bild des russischen Ministerpräsidenten erinnerte mich an die langen Jahre jener Breschnew-Epoche, die man später schonungsvoll als »Aera der Stagnation« bezeichnet hatte. Hier sprach Tschernomyrdin genau so wie weiland sein Vorgänger Andrej Gromyko die üblichen passenden Worte, die hier und in diesem Augenblick nichts besagten, auch nichts besagen sollten. Dies aber sehr ausführlich. Wie bei Gromyko, weil der Redner natürlich den Vorwürfen zu Hause begegnen mußte, etwas überaus Wichtiges in der Rede vergessen zu haben.

Dann kam die Absage des amerikanischen Moderators. Er wirkte verlegen. Es habe nicht der Außenminister gesprochen, sondern der russische Ministerpräsident. Außerdem werde er auch nicht in Moskau als Nachfolger von Präsident Jelzin gehandelt, denn Präsident Jelzin verfolge gerade selbst in seinem Moskauer Krankenzimmer die Bilder von der israelischen Trauerfeier.

Es scheint, daß in der Tat diese Trauerfeier allenthalben in der Welt sehr genau angeschaut und von unzähligen Menschen erlebt und bedacht wurde. Nach der Rückkehr aus Israel stellte ich fest, daß alle, mit denen ich darüber sprach, die gleichen Augenblicke tiefer Emotion erlebt und erinnert hatten.

Der Präsident des Staates Israel hatte die Trauerfeier eröffnet, Ezer Weizman. Er begrüßte natürlich die Royalties, den Präsidenten Bill Clinton, den ägyptischen Präsidenten Mubarak, um sich dann zu entschuldigen für die Nichterwähnung einer unendlichen Reihe von Ehrengästen. Der nunmehr amtierende Ministerpräsident Schimon Peres beschränkte sich, richtigerweise, darauf, als Freund und Mitarbeiter des Toten zu sprechen. Hier durfte keine politische und programmatische Rede gehalten werden.

Sehr eindrucksvoll die Rede des Königs Hussein von Jordanien. Er war sichtlich bewegt, sprach gleichsam aus dem eigenen inneren Erleben eines Menschen, der sich in jedem Augenblick von Mördern bedroht weiß. Der König erinnerte an die Ermordung seines Großvaters.

Präsident Clinton, der natürlich mit seinem offiziellen Vornamen William aufgerufen wurde, hielt eine ausgezeichnete Rede. Da wurden nicht passende Worte gesprochen. Hier beklagte einer nicht nur einen wichtigen politischen Partner, sondern einen Freund. Clinton schloß seine Rede mit fast erstickter Stimme, und das war ganz gewiß nicht Schauspielerei, mit den Worten: »Schalom, Chawer.« Chawer, Mehrzahl Chawerim, ist ein Ausdruck aus der frühen zionistischen Überlieferung, die bekanntlich sozialistisch war. Das war die Welt der landwirtschaftlichen Kibuzzim. Chawer war damals zu übersetzen mit Genosse. Von heute her gesehen wohl eher durch die Bezeichnung Kamerad, wenngleich dieses deutsche Wort zu einer militärischen Aura gehört, die den Chawerim fremd war.

Alle verstanden diesen Abschiedsgruß des amerikanischen Präsidenten. Eine Woche nach diesem Trauertag fuhren wir zusammen mit vielen anderen Fahrzeugen über die Autobahn hinauf zur Universität auf den Mount Skopus. Man zeigte mir die Rückseite vieler Wagen vor uns. Viele zeigten ein Poster. »Schalom, Chawer«. Lebendige Trauer und lebendige Hoffnung.

Man hatte die Rednerliste sehr vorsichtig und genau auf das Unumgängliche beschränkt. Gleichzeitig wurde, ganz wie bei jener Television am Sonntagabend, der Ablauf der offiziellen Bekundungen ein paarmal unterbrochen durch das Bild von Menschen, die für sich selbst sprachen, nicht als Stellvertreter. Enge Mitarbeiter von Itzhak Rabin. Dann sprach die Enkelin von ihrem Großvater Itzhak Rabin. Das wird keiner vergessen, der es gesehen hat. Zornige Trauer. Man solle der Familie Ruhe und Schonung gönnen. Daran freilich dachten die Medienleute nicht im mindesten. Immer wieder kamen Leah Rabin und ihre Kinder ins Bild. Jede Träne als Großaufnahme. Plötzlich spürte man, während das Mädchen sprach, daß hier nicht nur ein Mann des öffentlichen Lebens getötet worden war, sondern daß eine Familie durch Mörderhand tief verletzt wurde.

Lange und langsame Bilder vom Begräbniszug bis zum Friedhof auf dem Herzl-Berg, wo auch Theodor Herzl begraben liegt. Das wartende Grab in der Reihe der Stätten für die einstigen Regierenden des Staates Israel. Den Sarg trugen acht Soldaten in Uniform, doch ohne Rangabzeichen oder gar Ehrenzeichen. Acht Generale, wie man später erfuhr.

Der älteste Sohn trat an das offene Grab und sprach das liturgische Totengebet, das Kaddisch. Klar, deutlich, ruhig, wie es sich gehört für den ältesten Sohn. Dann der Salut der Armee, der Abschiedsgruß des Staates Israel.

VIII. Das Gelobte Land

Moses und Faust

Ärgernisse

Am Abend des 1. November war ich in Jerusalem angekommen, an einem Donnerstag. Die beiden letzten Tage der Woche waren vorgesehen für Besprechungen in der Hebräischen Universität und zur Vorbereitung der gemeinsamen Seminare mit Stéphane Mosès. Das erste sollte am 6. November stattfinden. Der Mord an Jitzhak Rabin machte alle Pläne zunichte. An jenem Montag war die Welt in Jerusalem, um Abschied zu nehmen von dem toten Ministerpräsidenten, und auch von seinen Friedensplänen, wie sich dann doch wohl herausstellen sollte.

Vieles hatte sich verändert, auch im Bereich der Hebräischen Universität. Verändert in mancher Beziehung zum Unguten. Stéphane Mosès hatte inzwischen die administrative Leitung seines Seminars abgegeben, dessen Aufgabe niemals darin bestehen sollte, im üblichen Sinne eines Germanistischen Instituts zu agieren, sondern das als Zentrum für das Studium deutscher Verhältnisse verstanden sein wollte. Allein, Stéphane Mosès war ein angesehener Forschungsprofessor in Paris. Die dortige Professur hatte er nicht aufgegeben, als an ihn die Einladung erging, jenes Zentrum für »Deutschlandkunde« in Jerusalem zu organisieren und zu leiten. Beides hatte er sehr gut gemacht. Ich war sein erster deutscher Gastprofessor gewesen im Jahre 1979. Nach mir waren durch Vermittlung der »Freunde einer Hebräischen Universität« sehr fähige deutsche Professoren und Dozenten nach Jerusalem gekommen, um ein ordnungsmäßiges Studium vorzubereiten. Nun hatte Professor Mosès gehofft, für die Studenten einen ordnungsmäßigen akademischen Abschluß erwirken zu können: durch ein Magister-Examen. Diesen Neubeginn sollte ich abermals mittragen. Alles war jedoch, wie gesagt, in sonderbarer Weise verändert.

Stéphane Mosès hatte die Leitung des Instituts abgegeben, um nach wie vor auch in Paris zur Stelle zu sein. Er hielt weiter seine Vorlesungen, nunmehr auf dem Mount Skopus. Die Leitung des von ihm gegründeten Franz-Rosenzweig-Instituts behielt er bei. Es stellte sich nun in Jerusalem heraus, daß ich als Gast eben jenes Instituts eingeladen worden war, das die neue Leitung des Deutschen Instituts an der Universität ganz offenbar nicht zur Kenntnis nahm.

Dort amtierte nun ein amerikanischer Germanist, ein Jude, der über Kafka gearbeitet hatte, wie es hieß. Ihn selbst konnte ich nicht danach befragen, denn ich habe ihn nicht kennengelernt. Als ich im Institut darüber eine Bemerkung machte, bekam ich eine wunderliche Antwort: »Aber er war doch in Ihrer Vorlesung.« Vermutlich als Gast in einem vornehmen Inkognito.

Das war nun doch etwas ungewöhnlich. Ich machte darüber eine Bemerkung zu Stéphane Mosès, erhielt wenige Tage später, kurz vor dem Rückflug, einen erschreckten Brief des amerikanischen Kollegen. Da sei keinerlei böse Absicht gewesen, im Gegenteil usw. Darauf war nichts zu erwidern.

Bedenklicher freilich fand ich, daß unter solcher Institutsleitung oder Nichtleitung keinerlei Planung über die Aufgaben der Lehrenden und der Lernenden mehr denkbar sein konnte. Um Friedrich Schiller etwas parodierend zu zitieren: »Was ist und zu welchem Ende studiert man deutsche Kulturgeschichte in Jerusalem?« Darüber hatte man mit Stéphane Mosès seit 1979 sehr eindringlich nachgedacht. Übriggeblieben von jenen Reflexionen war kaum noch etwas. Eine sonderbare Mixtur war festzustellen aus den bewährten Rezepten ehemaliger Deutschstunden an deutschen Oberschulen und den Hobbies bundesdeutscher Lektoren, die nun aus dem Mount Skopus ihre jeweiligen literarischen Vorlieben vor Studenten und in einer Umwelt mitzuteilen gedachten, die mit dergleichen überhaupt nichts anfangen konnten. Wohl auch nicht sollten.

Heidegger in Jerusalem

Wie es im letzten Jahrzehnt dieses Jahrhunderts und Jahrtausends in der Bundesrepublik Deutschland um das Studium der Germanistik an den Universitäten und um die Deutschstunden an den Oberschulen bestellt war, das glaubte man einigermaßen zu wissen. Tiefe Unsicherheit. Fehlende Substanz und fehlende Funktion. Die Skepsis wanderte von den Universitätsprofessoren zu den Lehrerstudenten, von dort zu den Schülern, von dort zu deren Familien. Eine bedenkliche Veränderung in den Arbeitsmethoden vieler deutscher Seminare kam hinzu. Einmal wurde die Primärliteratur, also das Lesen wichtiger Texte der großen deutschen Schriftsteller, mehr und mehr durch die Sekundärliteratur ersetzt. Man las nicht mehr den *Zauberberg*, sondern die offenbar interessante Habilitationsschrift des Erlanger Privatdozenten über den *Zauberberg*. Für den Rest sorgte das bessere Feuilleton mit seinen Verrissen und Lobpreisungen.

Die Auswirkungen dieses Zustandes waren in Jerusalem zu betrachten. Im Rahmen nämlich restaurativer Tendenzen im öffentlichen Leben der Bundesrepublik wurden jene Autoren ersichtlich reaktiviert, die im Dritten Reich eine wenig rühmliche Rolle gespielt hatten. Nunmehr war Ernst Jünger wieder als hochbegabter deutscher Dichter anerkannt. Martin Heidegger gar wurde sowohl zum Mythos wie zur Legende. Es wäre ihm nicht unlieb gewesen. Da besuchte mich am ersten Tag nach meiner Ankunft ein norddeutscher Lektor. Er war offenbar genau auf dem laufenden und gedachte mir von seinen Sicherheiten etwas abzugeben. Er hatte sich ein sonderbares Amalgam ausgedacht für seine Forschungsarbeit und Lehrtätigkeit hier auf dem Mount Skopus. *Heidegger und Adorno und Arnold Schönberg*. Als ich etwas verwundert nach dieser Gemeinsamkeit fragte, denn Arnold Schönberg hatte den Adorno nicht ausstehen können, Adorno ebenso wenig den Heidegger, kam die wortreiche und gestenreiche Erklärung: in allen drei Fällen hätte sich einer von den früheren Standpunkten abgewandt, um neue Positionen einzunehmen. In der Tat.

Einen Tag später besuchte mich ein deutscher Student, der offenbar wirklich begabt war und von sich aus gern nach Israel hatte kommen wollen. Er vertraute mir seine wissenschaftliche Fragestellung an. Nachzuweisen sei, daß Heideggers Philosophie nicht auf die griechischen Denker zurückzuführen sei, sondern auf das Alte Testament, also die Thora. In der Tat?

Goethes »Faust« und die Thora

Die Auswirkungen solchen Tuns und Unterlassens wurden rasch erkennbar, als die eigentliche Seminararbeit begann. Mit Stéphane Mosès war vereinbart worden, daß wir angesichts der kurzen Dauer meines

Aufenthalts nur etwa vier oder fünf Seminarstunden würden einsetzen können. Wir wollten sie nutzen zu einer ruhigen Lesung und Deutung einiger Szenen aus Goethes *Faust*. Als Mittelpunkt war daran gedacht, die vielfältigen Beziehungen Goethes zur Welt des Alten Testaments herauszuarbeiten. Beginnend mit dem »Prolog im Himmel« über die Paktszene zwischen Faust und Mephistopheles bis zur Schlußvision des sterbenden Faust. Der ausgezeichnete Faust-Kommentar von Albrecht Schöne sollte uns helfen bei unserer Arbeit. Die erste Vorlesung hatte ich als Einführung zur Faust-Thematik verstehen wollen. »Faust, Aufklärung, Sturm und Drang«. Die Vorlesung mußte ausfallen an jenem Montag der Trauerfeier. Es gab aber einen Text von mir zu diesem Thema, den man vervielfältigen und den Studenten des Seminars zugänglich machen konnte. Das erste Seminar, das nicht vorgesehen war, fand am Dienstag statt und kam nicht ohne Schwierigkeiten zustande. Am Institut war man offenbar wenig geneigt, einen Hörsaal zur Verfügung zu stellen. So erlaubte man uns beiden, Stéphane Mosès und mir, vor jungen Studenten, eher Schülern, und einer Dozentin mit unserer Arbeit zu beginnen. Wir begannen mit dem Lesen der Zueignung, des Vorspiels auf dem Theater, erster Hinweis auf den »Prolog im Himmel«. Wir hatten nicht den Eindruck, daß dabei, in diesem Rahmen, irgend etwas herauskommen könnte.

Das änderte sich vollkommen, aber zwei Tage später. Diesmal hatten wir den vorgesehenen Hörsaal und das auf uns vorbereitete Auditorium. Nun begann ein geistiges Gespräch zwischen den Fakultäten, vor allem zwischen jüdischen Theologen, Kulturhistorikern und Literaturforschern, an welches ich dankbar zurückdenke.

Nun zeigte es sich doch, daß es sinnvoll gewesen war, gerade hier und jetzt, gerade über dieses Thema zu sprechen. Über Goethe und die Bibel. Über Moses und Faust.

Der »Prolog im Himmel« beginnt, wie man weiß, als wunderbare lyrische Zusammenfassung des Schöpfungsberichts aus dem ersten Buch der Thora. Die Lichtwerdung und die verschiedenen Abschnitte der Erschaffung von Lebendigem. Der Mensch als Höhepunkt der Schöpfung.

Die Sonne tönt nach alter Weise
In Brudersphären Wettgesang,
Und ihre vorgeschriebne Reise
Vollendet sie mit Donnergang.
Ihr Anblick gibt den Engeln Stärke,
Wenn keiner sie ergründen mag;
Die unbegreiflich hohen Werke
Sind herrlich wie am ersten Tag.

Und schnell und unbegreiflich schnelle
Dreht sich umher der Erde Pracht;
Es wechselt Paradieseshelle
Mit tiefer, schauervoller Nacht;
Es schäumt das Meer in breiten Flüssen
Am tiefen Grund der Felsen auf,
Und Fels und Meer wird fortgerissen
In ewig schnellem Sphärenlauf.

Und Stürme brausen um die Wette,
Vom Meer aufs Land, vom Land aufs Meer,
Und bilden wütend eine Kette
Der tiefsten Wirkung rings umher.
Da flammt ein blitzendes Verheeren
Dem Pfade vor des Donnerschlags;

Doch deine Boten, Herr, verehren
Das sanfte Wandeln deines Tags.
Der Anblick gibt den Engeln Stärke,
Da keiner dich ergründen mag,
Und alle deine hohen Werke
Sind herrlich wie am ersten Tag.

Die Übereinstimmung dieses Sprechgesanges mit dem biblischen Bericht vom Anfang ist ebenso unverkennbar wie Goethes offensichtliche Inspiration durch die *Schöpfung* von Joseph Haydn. Der »Prolog im Himmel« entstand wohl erst zu Beginn des 19. Jahrhunderts. Haydn hatte das »Chaos« als Tonsystem nicht allein der Disharmonie, sondern der leerlaufenden Tonfolgen komponiert. Der Einsatz der Baßstimme mit dem Schöpfungsbericht und dem »Es werde Licht und es ward Licht!« mußte immer wieder von überwältigender Wirkung sein. Hier eben setzt der Gesang der Engel ein: »Die Sonne tönt in alter Weise.«

Auftritt Mephistopheles. Es folgt die berühmte Ansprache an den Herrn, der nur als Stimme antwortet. Der weitere Schöpfungsbericht über die Erschaffung der Pflanzen- und der Tierwelt wird ausgespart. Wichtig ist hier allein die Erschaffung des Menschen. Bei Joseph Haydn hatte der Tenor begeistert die Würd' und Hoheit des geschaffenen Menschen besungen. Mephistopheles hält diesen Schöpfungsvorgang für sinnlos und schädlich. Seine Ablehnung des Menschen wird von ihm (und Goethe) als Ablehnung menschlicher Vernunft dargestellt. Der Teufel als Anwalt der Gegenaufklärung. Die Erschaffung des Himmelslichtes wird von dem Gegenspieler bejaht, allein, von einem Himmelslicht der Vernunft will er nichts wissen. Vernunft macht Leiden. Damit ist das Stichwort gefallen für das göttlich-teuflische Gespräch über den Doktor Faust.

An dieser Stelle unserer Lektüre des »Prolog im Himmel« wandten wir alle uns natürlich der biblischen Quelle jener Goetheschen Szene zu. Altes Testament. Das Buch Hiob.

Es begab sich aber des Tages, da die Kinder Gottes kamen und traten vor den Herrn, daß der Satan auch unter ihnen kam und vor den Herrn trat.

Da sprach der Herr zu dem Satan: Wo kommst du her? Der Satan antwortete dem Herrn und sprach: Ich habe das Land umher durchzogen.

Der Herr sprach zu dem Satan: Hast du nicht acht auf meinen Knecht Hiob gehabt? Denn es ist seinesgleichen im Lande nicht, schlecht und recht, gottesfürchtig und meidet das Böse und hält noch fest an seiner Frömmigkeit. Du aber hast mich bewogen, daß ich ihn ohne Ursache verderbt habe.

Der Pakt zwischen Gott und Teufel

An dieser Stelle unserer Lektüre mußten wir uns natürlich mit den wohlbekannten Kommentaren und Auslegungen der germanistischen Forschung auseinandersetzen. Kann es eine Wette geben mit Gott? Muß nicht dieser sogenannte erste Pakt von Anfang an nichtig sein? Mephistopheles ohne wirkliche Chancen? Allein, an dieser Stelle unserer Reflexion wurde die theologische Anteilnahme der israelischen Kollegen immer lebhafter. Sie waren, im Gegensatz zur üblichen Germanistik, durchaus der Meinung, daß Gott und Teufel eine wirkliche Wette eingehen. Einer der israelischen Kollegen begründete das aus dem Talmud. Im Talmud gäbe es durchaus die Denkmöglichkeit von Gott als Spieler.

Folglich hatten wir uns zu fragen, ob Goethes *Faust* in der Tat als lebendiges Gegeneinander der beiden Wettenden zu verstehen sei. Dann wäre Gott der Herr folglich nicht bloß als Stimme im gedruckten Text der Tragödie, und allein im Prolog, vorhanden, sondern als unsichtbare Kraft im gesamten Ablauf des Dramas.

Das ist nicht ungewöhnlich und unbekannt im Bereich der dramatischen Literatur. Die Griechen hatten noch ihre Götter am Schluß der Tragödie auf der Theatermaschine erscheinen lassen. Es gibt aber durchaus auch die Möglichkeit, daß eine wichtige Gestalt, die notwendig ist für die Dramaturgie, immer nur erwähnt, doch nicht sichtbar gemacht wird. Gerade im *Faust* gibt es dafür ein durchaus irdisches Beispiel. Gretchens Mutter. Sie ist unentbehrlich für den Fortgang der Handlung, doch sie wird nicht sichtbar. Ebenso wenig wie der Papst im *Tannhäuser* von Richard Wagner.

Aus alledem versuchten wir zu folgern, daß wir die göttliche Tätigkeit, als Aktion eines Wettenden, durchaus in Goethes Text vorgedacht finden. Faust will den Giftbecher ansetzen. Plötzlich ertönen die Osterglocken. Der Giftbecher wird weggeschoben. Wer hat die Glocken just in diesem Augenblick läuten lassen? Auch der Teufel war unsichtbar zugegen bei dieser Szene. Er sagt es selbst später höhnisch zu Faust. Da habe doch jemand in jener Nacht einen braunen Trank nicht ausgetrunken. Gott und Teufel als unsichtbare Wetter in dieser Szene, als sich Faust doch für das Weiterleben entschließt.

Am Schluß von *Faust I* wird der Dualismus der beiden Wetter offenbar. Dem Hohnwort des Mephistopheles über Gretchen »Sie ist gerichtet« antwortet die »Stimme von oben«. Sie sei gerettet. Als Seele.

Es wäre reizvoll gewesen, am Schluß von *Faust II* abermals eine fast groteske Parallelaktion Goethes zu einem Bericht der Thora zu konstatieren. Nach Fausts Tod erscheinen sehr schöne, offenbar männliche Engel, die sich am Leichnam zu schaffen machen, um die Seele des Doktor Faust zu retten. Der Anblick der engelhaften Hinterteile erregt den Teufel so sehr, daß er nicht daran denken kann, seine Beute zu retten. Als er es merkt, erfüllt ihn Wut. Seine große Investition hat sich nicht gelohnt. So viel »Aufwand« an zwei Abenden der Tragödie, und nun...

Hierzu sollte man den Bericht des Alten Testaments lesen über den Untergang der Stadt Sodom. Da kommen gleichfalls einige sehr schöne männliche Engel zu Lot, um ihn und seine Familie vor dem göttlichen Strafgericht zu retten: vor dem Feuer vom Himmel. Die Sodomiter aber verlangen die Herausgabe der schönen Engel. Ihre Absichten sind unverkennbar. Ganz wie diejenigen des Mephistopheles.

Diese Konfrontation von Thora und Faust mußte leider ausfallen. Die Zeit reichte nicht mehr. Hingegen hatte uns eine andere Parallelaktion zwischen Bibel und Goethe noch ausführlich beschäftigt.

In seinem Kommentar zum *Faust* hatte Albrecht Schöne hingewiesen auf einen merkwürdigen Parallelismus zwischen Fausts Tod und dem biblischen Bericht über den Tod des Propheten Mosche. Der Befreier aus der ägyptischen Knechtschaft darf noch einen Blick tun in das angelobte Land, doch er wird es nicht selbst betreten können. Der erblindete Faust, der umgeben ist von Larven und Lemuren, die sein Grab vorbereiten, glaubt, einen »Blick« tun zu können in das von ihm begonnene, doch unvollendete Werk einer für die Zukunft nützlichen »Siedlungspolitik«. Ein Vorgefühl wird genommen als »Vorschein« (Ernst Bloch) der Pakterfüllung. »Verweile doch, du bist so schön.«

Wie läßt sich, von Goethe her gesehen, dieser Vergleich zwischen Moses und Faust deuten? Goethe scheint nicht viel zu halten von der gesellschaftlichen Nützlichkeit all dieser Pläne des uralten Faust. Die Drei Gewaltigen im Dienste des uralten Mannes, Teufelsgehilfen natürlich, hatten nicht viel soziales Mitgefühl bewiesen.

Goethe hat nicht an diese »lichte Zukunft« geglaubt. Glaubte er an die göttliche Zusage vom Gelobten Land? Viele Berichte der Thora und der späteren Schriften des Alten Testaments mußten dagegen sprechen.

Wenn auf jenem Mosaik im Katharinenkloster auf dem Sinai die beiden jüdischen Propheten Moses und Elias rechts und links von Christos Pantokrator zu sehen sind, so bedeuten sie gleichzeitig den Anfang und das Ende einer großen Verheißung.

Nach Abschluß der Seminargespräche über Goethe und die Bibel, die schließlich gemeinsame geistige Freude bewirkt hatten, hielt ich noch einen Vortrag auf Einladung des vor kurzem erst gegründeten Goethe-Instituts in Jerusalem. Man hatte mich gebeten, über meine Erinnerungen an Bertolt Brecht zu sprechen. Ein vollbesetzter Saal. Viel Freude und Freundschaft. Das Erlebnis jenes 6. November wirkte immer weiter nach. Eine Million Menschen, die Abschied nehmen vom ermordeten Ministerpräsidenten. Eine Welt (im Wortsinne), die mit ihnen trauert oder zu trauern scheint. Man durfte hoffen, daß eben dieser Mord an Jitzhak Rabin mithelfen konnte, den Frieden zu begründen für den Staat Israel.

IX. Israel und der Staat Israel

Das angelobte Land

Die Erinnerung daran findet sich sogar im lateinischen Text des katholischen Requiems. Quod olim Abrahae promisisti ex semini eius. Was Gott vor Urzeiten dem Abraham versprach, und auch dem Geschlecht Abrahams, das wird nun erinnert und angefordert von den Betenden. Doch ein geheimer Unernst ist dabei nicht zu verkennen. Das lateinische Wort olim weist zurück auf eine sehr ferne Vergangenheit. Die Juristen des frühen zwanzigsten Jahrhunderts sprachen, wenn es um eine Verjährung ging, gleichsam personifizierend, von »Olims Zeiten«.

Noch merkwürdiger, sogar noch unernster, ist die Vertonung dieser Stelle in dem so ernsten und bisweilen entsetzensvollen *Requiem* von Giuseppe Verdi. Er war ein Aufklärer und ein gläubiger Katholik in einem. Allein, die Stelle der Anlobung für Abraham und seine Nachkommen fällt musikalisch ganz aus dem Rahmen. Nahezu eine Gassenhauer mit spöttischem Tonfall, der chromatisch und unisono plärrend an eine Verheißung erinnert. Der Musiker scheint nicht daran zu glauben, an diese Verheißung. Kein Zufall also, daß postmoderne Musiker des zwanzigsten Jahrhunderts bisweilen diese Stelle aus Verdis Partitur gleichsam als Zitat in eigene Werke aufgenommen haben.

Wie ist die geheime Unruhe und Unbedenklichkeit gegenüber einem sakralen Text zu deuten? Natürlich bedeutet sie abermals die jahrhundertealte Distanz der römischen Kurie von den Ursprüngen des eigenen Credo, die sich nun einmal im Alten Testament finden.

Noch weniger verständlich ist die geheime innere Ablehnung des Bundes zwischen Gott und dem Patriarchen Abraham, weil sie theologisch den gemeinsamen Ursprung der Weltreligionen von Judentum, Christentum und Islam symbolisiert. Auch Ismael war ein Sohn des Patriarchen Abraham.

Wandlungen des Zionismus

Wer das Geschehen, also die Geschichte, für belanglos hält beim Nachdenken über das Gegenwärtige, wird immer wieder fehlgehen. Walter Benjamin meinte, eine Mißachtung des geschichtlichen Denkens führe mit Notwendigkeit dazu, daß auch die Toten nicht mehr sicher sein könnten in ihren Gräbern. Man hat es erlebt.

Heinrich Heine berichtete spöttisch aus seiner Göttinger Studentenzeit, wie ein Mitstudent am späten Abend vertraulich verkündete: man müsse nun demnächst wieder gegen Frankreich zu Felde ziehen, um Rache zu nehmen. Wofür? Für Konradin von Hohenstaufen. Rache für eine Untat aus dem dreizehnten Jahrhundert. Das Gelächter verstummt rasch, wenn man daran erinnert, daß es im Sommer 1996 wieder einmal Tote gab im Zwist zwischen den irischen Katholiken und Protestanten. Traditionell zogen protestantische, historisch verkleidete Demonstranten durch Katholiken-Viertel, um an den Sieg eines Oraniers, der dann König von Großbritannien wurde und eine Frau aus dem Hause Stuart geheiratet hatte, im ausgehenden siebzehnten Jahrhundert über irische Katholiken zu erinnern.

Auch alle Beschäftigung mit dem Staate Israel, seinen Ursprüngen und Wirklichkeiten setzt die Beschäftigung mit der Geschichte und mit den vielfachen Ausdrucksformen der Theologie voraus. Das muß nicht eigens bewiesen werden.

Natürlich muß jede Untersuchung über die Geschichte des Staates Israel mit der Geschichte des Zionismus beginnen. Es ist ähnlich wie bei anderen großen gesellschaftlichen Bewegungen eine Doppelgeschichte gewesen. Einerseits der denkerische und literarische Anstoß durch einen einzelnen; zum anderen eine gesellschaftliche Notlage und Befreiungssehnsucht, die sich im Werk des einzelnen zu erkennen glaubte. Gemeint ist das Zusammenwirken der Bücher *Der Judenstaat* (1896) und *Altneuland* (1902) mit den weitgehend kleinstädtischen handwerklichen und kleinbürgerlichen Emanzipationswünschen des Ostjudentums innerhalb der Habsburger Doppelmonarchie Österreich-Ungarn.

Der Theodor Herzl war keiner von ihnen. Er entstammte dem liberalen und wohlhabenden Bürgertum, wurde in Budapest 1860 geboren, studierte natürlich Rechtswissenschaft auf Wunsch der Eltern, verschrieb sich jedoch der Literatur und war in noch jungen Jahren einer der angesehensten Publizisten. Er repräsentierte bis zu seinem frühen Tod mit 44 Jahren die von Karl Kraus ein Leben lang inbrünstig bekämpfte Wiener *Neue Freie Presse*. Allein, der junge Theodor Herzl hatte, wie die meisten seiner bürgerlichen Zeitgenossen, die Affäre Dreyfus in Frankreich als persönliche Bedrohung empfunden und reflektiert. Man wird heute zeigen können, daß sich das erzählerische Werk von Marcel Proust, das unsere Vorstellungen von Literatur verändern sollte, undenkbar war ohne die Erfahrung (noch dazu in Paris!) mit dem Kampf um den unschuldigen jüdischen Hauptmann Dreyfus.

Das Buch *Der Judenstaat* beantwortete eine permanente gesellschaftliche Ausgrenzung und Diskriminierung mit einem Aufruf zur totalen Absage. Das Buch war gleichsam das Grundmanifest des Zionismus. Es wird auch nach wie vor im Staate Israel dafür gehalten. Theodor Herzls Grab befindet sich auf dem Herzl-Berg. Das Erholungsbad am Mittelmeer, unweit von Tel Aviv, heißt Herzliya.

Indem jedoch die kleinen Leute, etwa aus den galizischen Städtchen mit weitgehend jüdischer Bevölkerung, wie sie Manès Sperber, der dort zur Welt kam, eindringlich beschrieben hat, die Gedanken Theodor Herzls für sich übernahmen, entstand ein erster innerer Widerspruch. Die künftigen Zionisten gehörten nicht, wie Theodor Herzl, zur deutsch-jüdischen Oberschicht und Hochkultur. Ihre Sprache war das Jiddische. Im Gegensatz zum aufgeklärten städtischen Judentum in Budapest, Wien oder Prag waren sie nach wie vor tief verwurzelt in die religiösen Überlieferungen und Rituale der jüdischen Diaspora.

Der Zionismus war seit seinen Anfängen eine antibürgerliche und antikapitalistische Bewegung. Sie grenzte sich ab nach zwei Seiten. Einmal gegen die marxistischen Strömungen in der internationalen Arbeiterbewegung zu Beginn des zwanzigsten Jahrhunderts, zum anderen gegen die deutsch-bürgerliche Hochkultur. W. I. Lenin führte einen erbitterten Kampf gegen den »kleinbürgerlichen Sozialismus« innerhalb der polnischen und russischen Arbeiterbewegung. Die Mitglieder der Arbeiterpartei »Der Bund«, die weitgehend jiddisch sprachen, gehörten später, nach der Oktoberrevolution, zur II. (sozialdemokratischen) Internationale.

Diese Ursprünge haben die ersten Lebensformen jüdischer Einwanderer in Palästina in unserem Jahrhundert entscheidend geprägt. Die Kibbuzim waren Ausdruck einer kollektiven und solidarischen, vor allem ländlichen Lebensform. Noch im Augenblick der Gründung des Staates Israel war dieses zionistische Gemeinwesen als *gesellschaftliche Alternative* zum europäischen Kapitalismus zu verstehen. Liest man heute die Schriften führender zionistischer Schriftsteller und Denker aus der ersten Hälfte unseres Jahrhunderts: etwa den Briefwechsel zwischen Kafka und Max Brod, zwischen Walter Benjamin und seinem schon in den frühen zwanziger Jahren ausgewanderten Freund Gershom Scholem, zwischen Sigmund Freud und Arnold Zweig etwa, so ist überall dort die Entscheidung für Palästina als eine Absage an die erlebten und erlittenen Diskriminierungen durch die westeuropäische nichtjüdische Gesellschaft zu verstehen.

In der zweiten Hälfte unseres Jahrhunderts ist wenig davon übriggeblieben. Die einstmals so reiche und produktive jiddische Kultur besitzt keine materielle Grundlage mehr in der israelischen Gesellschaft von heute. Auch die sogenannten »Jeckes« sterben langsam aus: also die einstigen Repräsentanten einer deutsch-jüdischen Symbiose in Mitteleuropa, die sich vor der Massentötung nach Palästina retten konnten.

Die erfolgreichen Verteidigungen des Staates in drei Vernichtungskriegen führten zu neuen Einwanderungen und Einwanderern, die nichts mehr gemeinsam hatten mit den geistigen gesellschaftlichen Grundlagen des frühen Zionismus.

Vieles mußte hinfällig werden von den Ausgangspositionen jüdischer Einwanderer in Palästina. Etwas anderes jedoch, ganz unerwartet für viele europäische

Skeptiker, konnte an die Stelle des Absterbenden treten: eine gemeinsame hebräische Sprache, und mit ihr eine gemeinsame geistige Identität.

Die hebräische Nation

Auch hier hat man es wieder mit dem Zusammenwirken der geistigen Leistung eines einzelnen und der dadurch neugeformten gesellschaftlichen Realität zu tun.

Eine der schönsten Straßen von Tel Aviv ist benannt nach dem Sprachforscher und Sprachschöpfer Eliezer Ben Jehuda. Unsere Nachschlagewerke haben ihn offenbar nicht wirklich zur Kenntnis genommen. Dabei wäre die neuhebräische, durchaus lebendige Sprache des Iwrit undenkbar gewesen ohne die Forschungsarbeit Ben Jehudas. Er war in Rußland 1857 geboren, studierte aber in Paris zunächst Medizin. Da es in Wirklichkeit keine »toten Sprachen« gibt, wie die Geschichte des Lateinischen und Griechischen beweist, war das Hebräische auch niemals untergegangen als gesprochene Sprache. Das für die jüdische Geschichte kennzeichnende unablässige Studium der hebräischen Texte, vor allem auch der großen mittelalterlichen Denker des Judentums, hatte im Laufe der Jahrhunderte für die Juden der Diaspora stets zur Verständigung gedient. Die große Leistung Ben Jehudas bestand darin, dieser Sprache ein neusprachliches Vokabular geliefert zu haben. Als genauer Kenner der klassischen hebräischen Texte wurde es ihm möglich, von der überlieferten Sprache her Neuschöpfungen zu wagen. Er war der erste, der 1911 für die moderne hebräische Sprache (Iwrit) ein sechzehnbändiges Wörterbuch herausgab (*Milon Halaschon Haiwrit*).

Das Iwrit ist heute die Nationalsprache des Staates Israel. Die jungen Studenten (und Soldaten) dieses Staates bestätigen, daß diese gleichzeitig uralte und moderne Sprache allen Abwandlungen des Jargons, der Fachterminologie, auch einer modernen Dichtung gewachsen ist. Ohne diese Gemeinsamkeit von Sprache und Territorium wäre dieser Staat nicht denkbar gewesen. Allein, gerade die Rückbesinnung auf die Ursprünge und die doppelte Leistung von Theodor Herzl und Eliezer Ben Jehuda zeigt zugleich, daß das Problem des Judentums am Ausgang des Jahrhunderts und Jahrtausends als Dualismus interpretiert werden muß. Es gibt nach wie vor das Judentum und mit ihm das Phänomen der Diaspora. Und es gibt den Staat Israel mit seiner Eigengesetzlichkeit. Das bedeutet selbstverständlich eine tiefe geistige und emotionale Gemeinsamkeit aller Juden, ob sie es sich eingestehen oder nicht, mit dem Staate Israel. Es bedeutet gleichzeitig aber, ebenso notwendigerweise, die Möglichkeit von Spannungen.

Der weltliche Staat

Noch beim Besuch Israels im Jahre 1983 wäre es undenkbar gewesen, daß in Jerusalem von israelischen Staatsbürgern das strenge Gebot der Sabbatruhe hätte mißachtet werden können. Es gab jedesmal, bei allen Reisen, nach Einbruch der Dunkelheit am Freitagabend dasselbe Ritual. Man war von jüdischen Gastgebern eingeladen worden und wartete nun auf den arabischen Taxifahrer, der einen hinbringen und später am Abend auch zurückbringen würde.

Im November des Jahres 1995 jedoch schien sich alles in erstaunlicher Weise verändert zu haben. In der

Begleitung von Stéphane Mosès hatte ich am Flughafen von Tel Aviv einen jungen Autofahrer kennengelernt, der uns hinauffuhr nach Jerusalem. Er war auch seitdem immer wieder erschienen und hilfreich gewesen. Am Wochenende nach der Trauerfeier für den ermordeten Jitzhak Rabin besuchte er mich am Freitagmittag, um einen Vorschlag zu machen. Ob ich Lust hätte, mit ihm und seiner Freundin am Sabbat einen Ausflug aufs Land zu machen. Ich sah ihn erstaunt an. Am Sabbat? Er lachte. Als wir dann in der Tat am Samstag aus der Stadt fuhren, befanden wir uns in einer stattlichen Autogemeinschaft, die bemüht war, die Stadt Jerusalem in verschiedenen Richtungen zu verlassen. Jüdische Fahrerinnen und Fahrer, ganz ohne Frage.

Wir hielten bei einem schönen Ausflugsort auf dem Lande. Bergig und bewaldet. Es war offenbar ein beliebter Ausflugsort. Man aß und trank und war heiter. Respekt vor irgendwelchen Ritualen war nicht zu entdecken.

Ich fragte nach dem Namen des Ortes. Man nannte einen arabischen Namen, setzte aber hinzu: Dies war das Heimatdorf Johannes des Täufers. Auch hier die immer wieder bestürzende Gleichzeitigkeit des Uralten und des Heutigen. Nur eine Lebensweise der totalen Gegenwärtigkeit konnte dies mißachten. Dann gab es jedoch auch keine Vorstellung von Zukunft für solche Verächter des Gewesenen.

Natürlich läßt sich diese Episode als Weg zu einem weltlichen Staat begreifen. Dem steht andererseits, wie bekannt, der immer wieder ausbrechende gewaltsame Protest orthodoxer Juden in Jerusalem entgegen, die den Kampf gegen solche Entweihung des

Sabbat aufgenommen haben. In der Stadt Jerusalem gibt es ein Stadtviertel, das nahezu ausschließlich von Juden einer strengen theologischen Observanz bewohnt wird. Man muß mit dem Auto hindurchfahren, wenn man die Universität auf dem Mount Skopus aufsuchen will. Bei unserer ersten Fahrt zur Universität hielt der Autofahrer kurz an einer Haltestelle der Omnibusse, mitten im orthodoxen Viertel. Hier hatten die Heiligen Krieger des Vernichtungskampfes gegen den Staat Israel eine Bombe entzündet, die ein Blutbad anrichtete.

Alle Gespräche mit der jungen Generation, also vor allem den Studenten, stimmen auch in Jerusalem darin überein, daß man den Staat Israel als ein weltliches Staatsgebilde betrachtet, worin alle religiösen Gebote und Verbote, welche den Ablauf des modernen Lebens beeinträchtigen, zurückgedrängt werden müßten.

Andererseits wird alle Reflexion über den Staat Israel von der Tatsache ausgehen müssen, daß diese junge Generation gleichzeitig eine soldatisch-militärische Gemeinschaft darstellt. Sie ist in der Tat die Grundlage dieses Staates. Sie hat es immer wieder beweisen müssen und beweisen können. Daraus folgt aber, wie es gleichfalls aus allen Untersuchungen hervorgeht, daß das politische Bewußtsein dieser jungen und soldatischen Generation in allen politischen Grundfragen den demokratisch-politischen Lösungen mißtraut. Natürlich ist der Staat Israel ein demokratisches Gemeinwesen in unserem heutigen Verstande. Das Oberste Gericht ist wirklich eines. Die Wahlen sind freie Wahlen. Die Medien sind erstaunlich frei, wie sich gerade bei der durchaus nicht herrschaftsgebundenen Berichterstattung nach dem Mord an Jitzhak Rabin zeigen sollte. Dennoch ist innerhalb dieses demokratischen Staatswesens gleichfalls eine beträchtliche Wandlung zu konstatieren. Die Zeit der erfolgreichen bürgerlichen Politiker im Sinne von Ben Gurion, Golda Meir, aber auch eines Menachem Begin scheint vorüber zu sein. Seit den Tagen eines Mosche Dayan oder Jitzhak Rabin wird die Politik des Staates Israel entscheidend durch die militärischen Ratgeber am Kabinettstisch bestimmt. Wodurch mögliche diplomatische Aktivitäten nicht nur im Parlament, sondern in der Bevölkerung selbst immer wieder durch nationalistische Unbeweglichkeit erschwert werden.

Bei den letzten Wahlen in Israel im Jahre 1996 verzögerte sich die Gesamtauszählung dadurch, daß die Wahlergebnisse der aktiven Soldaten verspätet eintrafen. Man sagte aber voraus, daß diese Soldatenstimmen nicht der Arbeiterpartei zugute kommen würden, sondern dem konservativen, in manchen Bereichen auch nationalistischen Block des Likud. Und so war es auch.

Die amerikanische Bürgschaft

Daß sich der Staat Israel seit seiner Gründung im Jahre 1948 auf die politische, militärische, finanzielle und moralische Unterstützung der Vereinigten Staaten berufen konnte, war selbstverständlich. Da gab es viele Gründe innen- und außenpolitischer, militärischer und moralischer Art. Kein Wandel in der amerikanischen Innenpolitik, kein Ausgang einer Präsidentenwahl hatte daran etwas geändert. Bei seiner Gedenkrede auf den ermordeten Jitzhak Rabin hatte Präsident Bill Clinton in tiefer innerer Bewegung gesprochen. Er hatte einen Freund verloren und rief ihm einen hebräischen letzten Gruß zu: »Schalom, Chawer!«

Im Jahre 1956 hatte die damalige israelische Politik jedoch, im Vertrauen auf diese Unterstützung durch die USA, einen schweren Fehler begangen. Israelische Flugzeuge beteiligten sich, zusammen mit den französischen und britischen Streitkräften, am Kampf gegen den ägyptischen General Nasser und seine Nationalisierung des Suezkanals. Die Vereinigten Staaten hatten damals schroff der abenteurerischen Militärpolitik westlicher Aktionäre ein Ende gemacht. Die Feindschaft zwischen Ägypten und Israel wurde dadurch in gefährlicher Weise verschärft. Der Krieg von 1967 war weitgehend durch Nasser vorbereitet worden. Er führte die Angreifer in die Niederlage eines Sechstagekriegs.

Nach dem Tode Nassers hatte sein Nachfolger Sadat im Jahre 1979 zusammen mit der Regierung von Menachem Begin normale diplomatische Beziehungen herstellen können. Sadat hat es mit dem Leben bezahlt. Eben jener Sieg jedoch im Jahre 1967 hatte eine wesentliche Veränderung in den Beziehungen nicht nur zwischen der Politik der USA mit dem Staate Israel, sondern zwischen jüdischen Amerikanern und Israelis herbeigeführt. Die Gedanken des Zionismus, die sich in der Wirklichkeit des Staates Israel verändern mußten, waren virulent geblieben bei vielen amerikanischen Juden, die sich nach wie vor konfrontiert fanden mit der Judenfeindschaft der amerikanischen Iren, Polen, Mexikaner, nicht zuletzt in der nahezu gesamten schwarzen Bevölkerung.

Diesmal erfolgte eine Einwanderung ohne die Gefahr eines Holocaust. Eine amerikanische Einwanderung gleichsam mit dem Rückreisebillet.

Dieser Prozeß wurde ergänzt durch ein paralleles Phänomen. Der Sieg von 1967 hatte den Staat Israel in jeder Beziehung aufgewertet in der westlichen Welt.

Bereits im Jahre 1979 bezeichneten vor mir einige israelischen Studenten ihre erfolgreichen Professoren als »El Al-Professoren«, als Prominente mithin, die zwischen Jerusalem oder Tel Aviv oder Haifa und den großen europäischen und amerikanischen Hochschulzentren mit den Flugzeugen der El-Al unterwegs sind. Die Folgen lassen sich, wie sich im Jahre 1995 zeigte, auf allen Gebieten des israelischen Lebens aufzeigen. Hier hat sich eine gesellschaftliche Wandlung vollzogen, die man, ganz ohne irgendeine Bewertung, als Prozeß einer Amerikanisierung bezeichnen könnte. Dazu gehört freilich, daß eine jüdische Orthodoxie in den USA ihren Einfluß geltend zu machen vermag innerhalb des Staates Israel. Das hatte sich in bestürzender Weise bei der Ermordung des Ministerpräsidenten durch einen jüdisch-nationalistischen Mörder offenbart. Jener New Yorker Rabbiner Baruch Goldstein, der Mörder im Heiligtum von Hebron, war am Tage nach dem Mord an Jitzhak Rabin von orthodoxen Israelis betrauert worden, wie geschildert wurde. Es ist leicht, in Miami jüdisch-fromm zu sein und israelisch-intolerant.

Die Entwicklung des Staates Israel setzt das Weitergehen auf dem Wege zum weltlichen Staat ebenso voraus wie die wachsende Unabhängigkeit von der amerikanischen Bürgschaft in vielen Bereichen des israelischen Gesellschaftslebens. Jede Veränderung nämlich innerhalb der amerikanischen Wirklichkeit – im Falle etwa des Wahlsieges eines faschistoiden Präsidentschaftskandidaten, der die Stimmen weißer Nationalisten ebenso auf sich vereinigt wie die judenfeindlichen Stimmen aus dem schwarzen Lager –, müßte plötzlich eine schreckliche Gefahr bedeuten für den

Staat Israel. Das selbstgefällige Besitz- und Herrschaftsdenken sehr wohlhabender amerikanischer Judenkreise sollte sich einer solchen Erkenntnis nicht verschließen.

Nichts ist vergessen in der Weltgeschichte. Nicht die Erfahrungen der Affäre Dreyfus. Nicht die jähe deutsche Wandlung von der deutsch-jüdischen Symbiose zum Holocaust. Die Problematik des Judentums am Ausgang des Jahrhunderts und Jahrtausends ist determiniert durch diesen Dualismus zwischen dem Staat Israel und dem Geschlecht des Patriarchen Abraham. Durch den Dualismus, bisweilen auch Antagonismus, der Juden und der Israelis. Die Diaspora ist geblieben. Vielleicht war dies gerade die Verheißung.

X. Deutsche und Juden am Ende des Jahrhunderts

Rede in der Kölner Philharmonie am Unabhängigkeitstag des Staates Israel 1996

Für Emerich Kindtner

Unsere Betrachtungen über Deutsche und Juden am Ende des Jahrhunderts sollen mit einer Anrufung beginnen. Mit einer Anrufung des großen Nachbars: Harry Heine aus der Bolkerstraße zu Düsseldorf. Keiner hat sich besser ausgekannt im Geflecht und auch Gewirr dessen, was man später als »deutsch-jüdische Symbiose« zu bezeichnen pflegte. Das macht: Heinrich Heine sprach, wie zumeist, von sich selbst, wenn er die Beziehungen zwischen den Deutschen und den Juden reflektierte. Er glaubte beides in einem zu sein: Deutscher und Jude. Man möge sich nicht täuschen: Heinrich Heine blieb ein Leben lang, bei allem Zorn und Spott, ein deutscher Patriot. Er lebte und starb in Paris, allein, er hat sich nie für einen Franzosen gehalten: obwohl man ihn in dieser »Hauptstadt des 19. Jahrhunderts« als völlig gleichberechtigt empfunden hatte.

Daran hat sich, von französischer Seite, nichts geändert. Als vor einigen Jahrzehnten der handschriftliche Nachlaß Heines zum Verkauf stand und deutsche Instanzen sich schwertaten mit der Finanzierung eines Ankaufs, entschied der General und Präsident Charles de Gaulle kurzerhand: diese Dokumente gehörten in die Bibliothéque Nationale. Damit war alles entschieden.

Heine als Repräsentant der deutsch-jüdischen Symbiose

Die Schärfe und Treffsicherheit seiner Diagnosen bezog Heine nicht allein aus dem Doppelcharakter der eigenen Existenz. Sie wurden abgesichert, diese Diagnosen, durch den Umstand, daß Deutschland in allen Bemühungen dieses Schriftstellers um ein Deutschlandbuch sowohl von innen wie von außen betrachtet wurde. Das war die doppelte Optik des Raumes: gesehen als Herkunftsland und als Ursache eines freiwilligen Exils. Heine besaß dadurch auch den bösen »Blick des Anderen«, von dem Jean-Paul Sartre zu sprechen pflegte.

Die doppelte Optik einer deutsch-französischen Symbiose wurde ergänzt durch eine doppelte Optik der Zeit, also der Geschichte. Jede Betrachtung Heinrich Heines über die deutschen Angelegenheiten meinte stets sowohl das einstige wie das damals »gegenwärtige« Deutschland.

Diese einzigartige Betrachtungsweise wurde dadurch erleichtert, daß der Jude Heinrich Heine in Deutschland in einem geschichtlichen Augenblick der gesellschaftlichen Umwandlung zur Welt kam. Im Dezember des Jahres 1779, also mitten im Prozeß der Französischen Revolution und Expansion, doch noch vor dem Bonapartismus.

Ein Vergleich mag das erläutern. Heinrich Heine hat niemals die jüdische Existenz des Ghettos erfahren. Sein *Buch LeGrand* berichtet, wie das Kind den Einmarsch der Revolutionstruppen in Düsseldorf erlebt und wie die alten Leute jammern über die Flucht des Herrn Kurfürsten. Der Frankfurter Jude Löw Baruch, der als Ludwig Börne auf die Nachwelt kam (Jahrgang 1786), besaß es noch, jenes Empfinden des einstigen Ghettojuden. Er hat seinen jungen Besucher aus Düsseldorf, den damaligen Freund, in Frankfurt umhergeführt und ihm vom Ghetto berichtet.

Andererseits hat Felix Mendelssohn, der Enkel des Moses Mendelssohn, im theologischen Sinne niemals dem Judentum angehört. Abraham und Lea Mendelssohn zogen ihre Kinder zunächst ganz ohne religiöse Bindung auf. Erst als die Kinder heranwuchsen, bekannte sich die Familie durch die Taufe zu einem evangelischen Christentum. Für den Musiker Mendelssohn ist dies Bekenntnis zur Substanz seines Künstlertums geworden. Anders hätte das Oratorium *Paulus* nicht entstehen können, das einem Konvertiten gewidmet wurde. Mendelssohn erspürte für sich das Christentum im Judentum. Allein, der Komponist des *Elias* hat auch das Judentum im Christentum empfunden und gestaltet.

Drei bedenkenswerte große Beispiele einer deutsch-jüdischen Symbiose in der Zeit des Anfangs. Für Ludwig Börne, den radikalen Aufklärer mit dem Ghettoerlebnis, gab es kaum mehr eine religiöse Bindung. Börnes Gesellschaftskritik ist säkularisiert. Sie weist hinaus über die bürgerliche Gesellschaft reicher Leute, die Börne als »giftige Geldwirtschaft« charakterisiert. Er strebt nach der Weiterführung der Emanzipation zugunsten der armen Leute, denen die formal-juristische Gleichheit zusammenfällt mit der gesellschaftlichen Ungleichheit.

Felix Mendelssohn hat wohl, im Gegensatz zu Börne und auch zu Heinrich Heine, an den Bestand der Emanzipation und der deutsch-jüdischen Symbiose geglaubt. Erleichtert wurde ihm sein Gefühl der Sekurität durch den Wohlstand seiner Familie und durch seine vertraute Bindung mit dem bürgerlichen England. Nicht zuletzt durch die Freundschaft mit dem dortigen Herrscherpaar Victoria und Albert.

Heinrich Heine hat alle Monarchen und Monarchien gehaßt und beschimpft. Man hat es ihm in München und Berlin rüde entgolten. Er hatte auch keine Illusionen über den Finanzkapitalismus der französischen Bourgeoisie. Der vertraute Umgang mit dem Baron James Rothschild war nützlich. Die Rothschilds waren vorsichtige Leute. Man hatte Angst vor dem großen Schriftsteller. Karl Kraus, der Ludwig Börne verehrte und Heine nicht ausstehen konnte, hat über diesen Umgang zwischen Autor und Millionär gespottet. Allein, Heinrich Heine versuchte stets die gesellschaftliche Totalität seiner Zeit zu verstehen. Er war allenthalben auf der Suche nach der Wirklichkeit. In der großen Oper zu Paris und bei den Bauern der Pyrenäen. Bei den utopischen Sozialisten des Saint-Simonismus in der Rue Montmartre und in den Berichten über den Aufstand der schlesischen Weber zu Peterswaldau.

Aus all dieser Kenntnis komponierte er seine gesellschaftlichen Analysen ebenso wie seine Zukunftsvisionen. Insbesondere über Deutschland und die Deutschen.

Nähe und Ferne der Deutschen und der Juden

Die Anrufung Heinrich Heines ist gerade darum für unser Thema der deutsch-jüdischen Symbiose und ihres Scheiterns so wichtig, weil in Heines Deutschlandbild eine These immer wieder vertreten wird, die merkwürdigerweise fast unbekannt blieb. Er wird nicht müde, gerade seine deutschen Leser hinzuweisen auf die merkwürdige geschichtliche Wahlverwandtschaft der Deutschen und der Juden. Das klingt verwirrend, läßt sich aber bis heute stets von neuem belegen. Der tiefen geschichtlichen Abneigung gegenüber den Juden entspricht in der europäischen Geschichte, mindestens seit dem Dreißigjährigen Krieg, eine tiefe Abneigung gegenüber den Deutschen in allen außerdeutschen Staaten und Kulturen unseres Kontinents. Daß man ungeliebte Fremde mit Schimpfnamen ausstattet, ist alltäglich und unvermeidbar. Allein, die eingewurzelten Schimpfwörter über die Deutschen, gerade bei ihren engeren Nachbarn, sind trotzdem singulär. Bei den Niederländern, den Deutschschweizern, in französischen Urteilen über »Les Boches«.

Natürlich gibt es geschichtliche Zusammenhänge sowohl für jene Judenfeindschaft wie auch für die wahlverwandte Deutschfeindschaft. Dennoch reichen sie nicht aus zur Erklärung. Um so weniger, als dieser Aversion von außerdeutscher Seite eine merkwürdige Verinnerlichung des Konflikts bei den Abgelehnten und Abgegrenzten entspricht. Heine hat diese Affinität, also Nähe, zwischen den Deutschen und den Juden so klar benennen können, weil er sie in sich selbst aufzuspüren wußte.

In der Tat: es gibt den jüdischen Selbsthaß ebenso wie den deutschen Selbsthaß. Der jüdische Philosoph Theodor Lessing, der ebendiesen jüdischen Selbsthaß in sich spürte und durch ein Bekenntnis zum Zionismus zu bekämpfen suchte, hat, in seinem Buch über den *Jüdischen Selbsthaß*, die wichtigsten Repräsentanten dieses jüdischen Selbsthasses gar nicht benannt. Er hätte Karl Kraus ebenso nennen können wie Walther Rathenau, ebenso Trotzki wie Ernst Bloch.

Den merkwürdig divergierenden Formen eines solchen jüdischen Selbsthasses entsprechen aber nicht minder divergierende Formen eines deutschen Selbsthasses. Dies ist ein Phänomen, das kein Gegenmodell hat in den anderen europäischen Nationalitäten und Kulturen. Thomas Mann hat es, im amerikanischen Exil, in die Formel vom »Leiden an Deutschland« zu fassen versucht. Es gehört aber als wichtige Substanz zur deutschen Kulturgeschichte: abermals seit dem Dreißigjährigen Krieg. Von Gryphius bis Hölderlin, von Büchner bis Brecht.

Dies ist beileibe keine Esoterik sogenannter Intellektueller, also »Nestbeschmutzer«. Es findet sich immer wieder im deutschen Alltag. Heimkehr aus dem Urlaub: »Es war sehr hübsch, aber es waren zu viele Deutsche da!« Es wäre nicht leicht, anderswo in Europa eine ähnliche Alltagsreaktion zu konstatieren.

Bleibt zu fragen, warum diese merkwürdige Duplizität des Außenseitertums der Deutschen und der Juden nicht nur nicht zu einer Annäherung zwischen ihnen geführt hat. Sondern umgekehrt: daß in unserem Jahrhundert in entsetzlicher Weise versucht wurde, diese Wahlverwandtschaft von deutscher Seite zu widerrufen. Indem man den anderen Außenseiter zu beseitigen suchte, und indem man gleichzeitig das deutsche Außenseitertum dadurch beendete, daß man, als Sieger und Herrscher, alle anderen europäischen Staaten und Nationen ihrerseits in »Untermenschen« verwandelte.

Das Ergebnis dieses Prozesses ist bekannt. Es führte in den Holocaust und zur Zerstörung Deutschlands und unendlich vieler Deutscher. Hier wird unser Gedankengang nach den geschichtlichen Veränderungen fragen müssen, die sich seit den Zeiten Heinrich Heines vollzogen hatten im Verhältnis der Deutschen und der deutschen Juden. Indem von deutscher Seite alle Nähe entfernt und alle Entfernung als Vernichtung verstanden wurde.

Abermals kann Heinrich Heine hilfreich sein bei einer solchen historischen Rückschau. Heines Gedicht *Nachtgedanken* ist weltbekannt. Die Anfangszeile wurde zum Klassikerzitat, das man bisweilen auch beim täglichen Ärger zu zitieren pflegte:

Denk ich an Deutschland in der Nacht
Dann bin ich um den Schlaf gebracht...

Weit weniger bekannt hingegen sind einige andere Verse desselben Gedichtes:

Deutschland hat ewigen Bestand
Es ist ein kerngesundes Land
Mit seinen Eichen, seinen Linden
Werd ich es immer wiederfinden.

Man wird traurig, wenn man das heute wieder liest. Was ist geblieben von jener angeblich so kernigen Gesundheit? Deutsche Zeitgenossen Heinrich Heines haben damals bereits an jener Gesundheit gezweifelt. Friedrich Hölderlin beispielsweise. Er unterstreicht im *Hyperion* im Gegenteil die ungesunde »Fadheit« eines Lebens unter den Deutschen. Vermutlich hat Heinrich Heine mit seiner erklärten Vorliebe für die nachbarlichen Westfalen einem Idealbild des »kerngesunden« deutschen Bauerntums ebenso gehuldigt wie sein in Magdeburg geborener, doch in Düsseldorf wirkender Freund Karl Immermann.

Unsere heutigen Zweifel an der kerngesunden geschichtlichen Substanz der Deutschen werden verschärft durch unsere heutige Skepsis gegenüber einem Begriff des »ewigen Bestandes«. Ganz zu schweigen von jener Kerngesundheit der deutschen Eichen und Linden.

Was hat sich verändert seit jener Heineschen Sicht auf ein kerngesundes Deutschland und seiner Zuversicht, daß es, im Zeichen fortschreitender Aufklärung und Säkularisierung, auch in der Zukunft ein wahlverwandtschaftliches Verhältnis geben werde zwischen den Deutschen und ihren deutschen Juden?

Allein, noch vor der Wannsee-Konferenz und ihrer Entscheidung für die »Endlösung« hatten politische Denker in Deutschland und im nunmehrigen »Dritten Reich« die These verkündet, von einer Wahlverwandtschaft zwischen den Deutschen und Juden könne schon deshalb die Rede nicht sein, weil man denkerisch dabei von einer falschen Gemeinsamkeit ausgehe. Man halte beide nämlich, die Deutschen und die Juden, einfach für »Menschen«. Das sei aber ein denkerisch unbrauchbarer Begriff. In einem Thesenentwurf nationalsozialistischer Juristen und aus der Feder des Staatsrats Carl Schmitt wurde empfohlen, den Menschbegriff aufzugeben. Man müsse unterscheiden: »es gibt Volksgenossen, Reichsdeutsche, Ausländer, Juden u.a.« Und andere. Womit vermutlich noch unter den Juden nur das Tierreich gemeint sein konnte. Man kann das nachlesen. Als Carl Schmitt, der neuerdings wieder und nicht zufällig als geistiger Nothelfer heraufbeschworen wird, im Nürnberger Gefängnis vom Untersuchungsrichter, dem späteren Berliner Professor Ossip Flechtheim aus Düsseldorf, der mir diese Geschichte erzählt hat, befragt wurde, gab Carl Schmitt die Antwort, er sei nie etwas anderes gewesen als ein getreuer Sohn der katholischen Kirche. Aber doch wohl ein etwas sonderbarer Katholik ...

Abermals: wie ist diese Entwicklung von der

deutsch-jüdischen Symbiose zu jenen Theorien der Unmenschlichkeit und der damit korrespondierenden Praxis des Holocaust zu erklären? Von heute her gesehen wird festzustellen sein, daß jene deutsch-jüdische Symbiose ihrer Anlage nach wenig Aussicht hatte auf einen »ewigen Bestand«. Es gab die bürgerliche Gleichberechtigung der Juden, aber bereits bei dem Wartburg-Fest im Oktober 1817 hatten deutsche Studenten neben dem Bürgerlichen Gesetzbuch Napoleons auch Schriften über die Judenemanzipation verbrannt. Jeweils unter dem Ruf »Pereat«, was in unserem Jahrhundert durch das Wort »verrecke« übersetzt wurde. Die deutsche Romanliteratur des 19. Jahrhunderts ist überreich an Konfrontierungen des tückischen Juden und des treuen Deutschen. Man schlage nach im *Hungerpastor* von Wilhelm Raabe, bei Gustav Freytag, bei Felix Dahn und vielen anderen. Alles Autoren, die als Liberale die bürgerliche Gleichberechtigung der Juden nicht in Frage stellten. Allein, nirgendwo wurden die Juden wirklich als Deutsche betrachtet. Sie blieben Juden. Das war keine Religionsfrage, wie man allzu lange geglaubt hatte. Aus einer Religionsgemeinschaft kann man austreten. Aus dem Judentum kann man nicht austreten. Der Jude ist, allenthalben in unserer heutigen Welt, ein existentieller Außenseiter.

Dennoch hätte es in Deutschland sein Bewenden haben können bei der höflichen, bisweilen freundlichen Fremdheit zwischen den Partnern. In der Weimarer Republik hatte es bereits jüdische Universitätsprofessoren gegeben, die nicht getauft waren. Mit Namen wie Ernst Cassirer und Max Horkheimer und Leo Spitzer und Carl Mannheim. Ein jüdischer Jurist – Hugo Preuß – hatte den Text der Weimarer Verfassung entworfen. Ordentlicher Professor an einer richtigen deutschen Universität konnte er trotzdem nicht werden. Dennoch: ohne den Widerruf von 1933 wäre die Symbiose auch weiterhin denkbar gewesen.

Daß sie so grauenvoll scheitern sollte, ist ursächlich nur zu erklären, wenn man die Parallelentwicklung im Kaiserreich Österreich-Ungarn analysiert. Der Tod war ein Meister aus Österreich-Ungarn. Paul Celan hat es gewußt.

Die moribunde Donau-Monarchie, deren Abschied von der Existenz sich als große Kultur vollzog, hatte in allen Explosionen und Repressionen der Nationalitäten eine Vielfalt des mörderischen Judenhasses produziert. Den tschechischen, den slowakischen, den polnischen, den ungarischen Antisemitismus, zu schweigen von der Judenfeindschaft der Steirer oder der Kärntner. Natürlich auch des ober- wie niederösterreichischen Kleinbürgertums. Braunau lag in Oberösterreich. Die Namen der antisemitischen Demagogen wie Karl Lueger und Lanz von Liebenfels sind bis heute bekannt geblieben. In ihren Reden und Schriften war der Holocaust bereits vorgeplant.

Auch in Richard Wagners Schrift über das *Judentum in der Musik* findet sich bereits auf den ersten Seiten das Wort »Ausmerzung«.

Ein langer geschichtlicher Prozeß. Ein langer Weg nach Auschwitz. Wahrscheinlich wurden die Deutschen angesteckt durch einen Bazillus, der einem sterbenden Staatensystem entstammte. Allein, auch in Deutschland war die Immunkraft geschwächt. Es hat keine Abwehrkräfte gegeben, wie man weiß. Wer das so lärmende und – im Wortsinne – euphorische deutsche Erwachen in den ersten Monaten des Jahres 1933 erlebt hat, wie ich zum Beispiel hier in Köln, wird es nur bestätigen können.

Das Dunkel des gelebten Augenblicks im Jahre 1933

In unseren siebziger Jahren saßen Menschen einmal um einen Tisch in einem Berliner Fernsehstudio, um einander mitzuteilen, wie sie als Zeitgenossen den 30. Januar erlebt hatten. Hans Werner Richter hatte einige Kollegen eingeladen. Ein damals junges Mädchen aus preußischem Adel war auch zugegen am Tisch. Ihr hatten die adeligen Eltern beim Anblick der Fackelzüge und Sammelbüchsen eingeschärft, nur etwas in die deutschnationalen Büchsen zu werfen, nicht aber etwas für die Braunen zu spenden. Zwei damals bereits bedeutende Schriftsteller wie Hermann Kesten vom Jahrgang 1900 und Wolfgang Koeppen vom Jahrgang 1906 teilten mit, wie in den Lektoraten liberaler Verleger und in den Redaktionen liberaler Zeitungen die Braunhemden auftauchten und mit Befremden betrachtet wurden. Es kamen aber auch bereits ehemals stramm pazifistische Autoren stolz im Braunhemd ins Haus.

Ich selbst erzählte, wie ich am Abend des 30. Januar in die Rheinlandhalle ging, um zu erfahren, was die so bedrohten Kommunisten vorzuschlagen hätten. Der Saal war nur mäßig voll. Viele wollten lieber die Fakkelzüge sehen. Der Reichstagsabgeordnete Werner Hirsch lachte über diese neue Regierung. Die werde bald abgewirtschaftet haben. »Und dann kommen wir!« Man hat ihn totgeschlagen, den Werner Hirsch.

Hans Werner Richter hatte damals andere Sorgen. Die Familie von der Insel Rügen war zahlungsunfähig. Man versteigerte ihre Habe.

Auch Heinrich Böll, der mit uns am Tisch saß, hatte von der Sorge armer Leute zu berichten. Er war Jahrgang 1917. Den Rundfunk hatte man nicht mehr bezahlen können. Er selbst lag mit einer Grippe im Bett in jenem kalten Winter. Die Mutter brachte die Nachricht von der neuen Regierung und sagte: »Das bedeutet den Krieg.«

Wir haben es insgeheim alle gewußt, doch insgeheim alle nicht wissen wollen. Ernst Bloch hat diesen Zustand als »Dunkel des gelebten Augenblicks« bezeichnet. Bald wurde dann das Dunkel erhellt. Kurz darauf durch die Flammen über den verbrannten Büchern. Das Weitere ist bekannt.

Unmöglichkeit der Verjährung und der Versöhnung

Wie also soll man von nun an miteinander sprechen und Umgang haben? Als Deutscher mit den Juden, als Jude mit den Deutschen. Da an eine Wiederkehr der einstigen Symbiose nicht mehr zu denken ist, weil es den einstigen Gegensatz im heutigen Deutschland nicht mehr gibt, wird man neu denken müssen. Bei solchem Denken jedoch erweisen sich einstige Rechtsbegriffe und auch Moralbegriffe als hinfällig, im Grunde als obsolet. An den Begriffen der Verjährung und der Versöhnung läßt es sich demonstrieren.

Der Begriff der Verjährung gehört zu jenen Rechtsinstituten, die eine mehr oder weniger gut funktionierende bürgerliche Gesellschaft voraussetzen. Unsere Gesetzbücher des Bürgerlichen Rechts und des Bürgerlichen Strafrechts präsentieren immer noch eine Begriffswelt, die bisweilen sonderbar unwirklich anmutet. Da spricht man von mündelsicheren Anlagen, von der Sorgfalt eines guten Hausvaters, von Treu und Glauben. Man erzürnt sich im Strafrecht über Unzucht und Kuppelei.

Auch der Begriff der Verjährung setzt eine funktionierende bürgerliche Alltagswirklichkeit voraus. Da können bei der Strafverfolgung die meisten strafbaren Handlungen, die nun einmal unterlaufen und kein Entsetzen hervorrufen, nach Ablauf ziemlich vieler Jahre als nicht geschehen angesehen werden. Sie sind dann »verjährt«.

Noch in den zwanziger Jahren gab es Kriminalfälle, die wochenlang die deutsche Öffentlichkeit in allen Phasen in Atem hielten. Da hatte in Berlin-Steglitz ein eifersüchtiger Gymnasiast seinen Freund angestiftet, den Liebhaber von dessen Schwester im elterlichen Schlafzimmer niederzuschießen. Auch der Mörder war umgekommen. Ein solcher Kriminalfall in der kleinbürgerlichen Wohnung würde heute nach kurzem Aufbauschen durch die Medien vergessen werden. Da kannte und kennt man schlimmere Geschichten, die auch bald vergessen werden.

Einzigartig geblieben hingegen ist der Fall des Massenmörders Haarmann in Hannover. Hier war zum ersten Mal das Unvorstellbare geschehen. Dergleichen konnte nicht verjähren. Auch nicht nach der Hinrichtung des sogenannten Monstrums.

Seit dem Holocaust, der nun einmal als Zusammenwirken ungeheuerlicher Mordphantasien mit einer perfekten modernen Mordtechnik zu verstehen ist, wird man den altmodischen Begriff der Verjährung in allem, was das deutsch-jüdische Zusammenleben betrifft, als Mißbrauch betrachten müssen. Die deutschen Prozesse um die Vernichtungslager, die in vielen Fällen bei festgestellten Untaten, mit dem Begriff der Verjährung arbeiteten erscheinen vielen Heutigen als Feigheit und als Beschönigung. Es geht nicht darum, überlebende und altgewordene Verbrecher von damals einem schweren Strafvollzug zu unterwerfen. Aber es geht nach wie vor darum, daß das Verbrechen benannt und verurteilt wird.

An das Vergessen ist ohnehin nicht zu denken. Mit Recht hat es der Präsident des Staates Israel vor kurzem auch seinerseits festgestellt. Es gibt keine hochentwickelte Technik, der es gelingen könnte, mit Hilfe von Medizin und Psychologie die Erinnerung an Auschwitz gleichsam schmerzlindernd abzuschwächen.

Im Gegenteil stärken die neuen Untaten von heute, jene »ethnischen Säuberungen«, die einstmals hierzulande als »völkische Säuberungen« praktiziert wurden, das Trauma des Nichtvergessens. Auch diese Tendenz ist bedenklich und bedrohlich.

Wir wollen abermals bei Heinrich Heine nachschlagen. Als Heine in den zwanziger Jahren des 19. Jahrhunderts in Göttingen studierte, waren alle deutschen Studenten begeisterte Leser der Hohenstaufen-Geschichte des Berliner Historikers Friedrich von Raumer. Eine sechsbändige *Geschichte der Hohenstaufen und ihrer Zeit* war damals erschienen, und sie war ein Ereignis. Der mit Heine befreundete Christian Dietrich Grabbe schrieb zwei bedeutende Hohenstaufen-Dramen. Noch vor zwei Jahrzehnten hat die ungeheure Wirkung der Staufer-Ausstellung in Stuttgart bewiesen, wie lebendig die Erinnerung geblieben ist an Barbarossa und den zweiten Kaiser Friedrich in seinem steinernen Sarkophag im Dom zu Palermo. Und die Erinnerung an den unglücklichen letzten Staufer Konradin, der in französische Gefangenschaft geriet und auf dem Marktplatz von Neapel hingerichtet wurde.

Eben davon weiß Heine in merkwürdiger Weise zu berichten. Er sitzt mit westfälischen Kommilitonen in einer Göttinger Kneipe. Es ist spät geworden, und man hat getrunken. Da wendet sich der deutsche

Mitstudent an seinen Freund Heine und meint, man müsse jetzt alles tun, um einen neuen Rachekrieg gegen Frankreich vorzubereiten. Heine habe gefragt, wofür man Rache nehmen wolle. Die Antwort des Jungen lautete: »Für Konradin von Hohenstaufen!« Deutsche Treue gegen welsche Tücke eines Charles d'Anjou. Mehr als ein halbes Jahrtausend war vergangen seit dem Tode des jungen Corradino. Vergessen jedoch hatte man nichts. Da gab es auch keine Verjährung.

Auch der Begriff der Versöhnung bedeutet eine Beschönigung, die unzulässig zu sein hat. Gerade das hohe jüdische Fest des Jom Kippur kann es bestätigen. Eine liberale jüdische Theologie übersetzte das als »Versöhnungsfest«. Das ist wörtlich richtig und dennoch verfälschend. Welche Versöhnung ist gemeint? Durchaus nicht die Versöhnung zwischen verfeindeten Menschen. Die wurde vom Rabbiner in den osteuropäischen Städtchen immer im Alltag und in der Synagoge vollzogen, doch niemals am Jom Kippur. Da war auch keine Versöhnung mit Gott, weil das undenkbar ist. Versöhnung mit sich selbst, mit dem Eingeständnis eigener Schuld: das war der Sinn jenes hohen Feiertags, der ein Fasttag zu sein hatte. Es gibt nicht die Verjährung, es gibt kein Vergessen, es gibt keinerlei Ritual irgendeiner Versöhnung. Man hat weiterzuleben mit dem, was geschehen ist. Der Tod begann in Österreich-Ungarn. Wo dann auch, fast gleichzeitig, jene jüdische Bewegung entstand, welche den Staat Israel entstehen machte. Allein, auch der war, wie man heute weiß, nur möglich geworden, weil sich der Tod zum Meister aus Deutschland entwickelte.

Heutiges Judentum in Deutschland vermag nicht mehr an die einstigen Träger einer deutsch-jüdischen Symbiose zu erinnern. Die Jeckes gibt es auch kaum mehr im Staate Israel. Die neuen jüdischen Gemeinden in der Bundesrepublik Deutschland haben eine Mitgliederschaft, die in vielen Fällen weder mit der deutschen Sprache noch mit den geschichtlichen deutsch-jüdischen Traditionen aufwachsen konnte. Um es deutlich zu sagen: das ist kein Unglück, wenn man das schreckliche Scheitern der einstigen Symbiose überdenkt.

Andererseits vollzieht sich am Ende eines Jahrhunderts, das Deutschland noch sowohl als Staatsnation wie als Kulturnation gekannt hatte, eine unaufhaltsame Veränderung. Die künftigen Deutschen werden mit vielen Minderheiten zu leben haben. Das wird zeitweise reguliert werden können, doch ganz gewiß nicht durch einen Rückfall in den aggressiven deutschen Nationalismus. Der war ohnehin tiefenpsychologisch stets motiviert durch nationale Minderwertigkeitsgefühle. Wer deutsche Urlauber heute an ausländischen Stränden beobachtet, wird ein bißchen lachen müssen beim Gedanken, daß deren Machthaber das eigene Volk für eine Gemeinschaft von »Herrenmenschen« gehalten haben.

Es kommt hinzu, daß sich alle überlieferten menschenwürdigen Konzepte des Denkens und Verhaltens in ihrer Wirkung bedroht sehen. Das gilt ebenso für alle hierzulande überlieferten Religionen wie für alle überlieferten Konzepte des Humanismus und sogar der Utopie.

Wer das Zeitgeschehen am Ende des Jahrhunderts überblickt, verspürt allenthalben die wachsende Bedrohung durch religiösen Fanatismus, putschende Generäle, marktschreierische Gurus und Führer. Es hat wenig Sinn, daß wir uns heute und hier zu neuen Formen der Annäherung bekennen, wenn es uns nicht gelingt, um mit Immanuel Kant zu sprechen, die »Bedingungen der Möglichkeit« einer solchen Annäherung zu schaffen.

Rückblick nach dreißig Jahren

Vielleicht ist es wichtig und sogar lehrreich, im Jahre 1996 zu erinnern an Denkkonzepte und Beratungen zum Thema Deutsche und Juden, die vor bald dreißig Jahren in Basel entwickelt wurden. Es war bereits unser heutiges Thema. Anfang August 1966 wurde in Brüssel der Fünfte Jüdische Weltkongreß abgehalten. Am 4. August 1966 wurden Reden gehalten zum Thema »Deutsche und Juden«. Einer der Redner war Eugen Gerstenmaier, der damalige Bundestagspräsident. Die anderen beiden Redner waren meine vertrauten Freunde, die viel in meinem Leben bewegt haben: der große jüdische Theologe und deutsche Philosoph Gerhard Scholem aus Berlin, der bereits zu Beginn der zwanziger Jahre nach Palästina zog und sich Gershom Scholem nannte. Der andere Redner hieß Golo Mann. Deutscher Emigrant, Halbjude nach den Begriffen der Rassentheoretiker, Amerikaner und schließlich Schweizer.

Aus der Rede Gershom Scholems damals in Basel vor bald dreißig Jahren möchte ich einen Gedankengang an den Schluß meiner eigenen Betrachtungen stellen. Was Scholem hier analysiert, wird noch virulenter dadurch, daß er sich auf die Aussage eines älteren und bedeutenden Juden stützt, der zugleich ein bedeutender deutscher Schriftsteller war, auch wenn er in Prag gelebt hatte. Es handelt sich um Max Brod, den Freund und Erben von Franz Kafka. Max Brod emigrierte, wie bekannt, nach Palästina. Er liegt in Israel begraben. Übrigens schrieb Brod eine ausgezeichnete Biographie Heinrich Heines. Er wurde als erster von der Stadt Düsseldorf im Namen Heinrich Heines geehrt.

Scholem faßt den Gedankengang von Max Brod, den er sich zu eigen macht, wie folgt zusammen:

> Max Brod hat von der »Distanzliebe« gesprochen, die als die ideale Beziehung zwischen Deutschen und Juden hätte herrschen sollen, einem dialektischen Begriff, wo das Bewußtsein der Distanz allzu grobe Intimität verhindert, zugleich aber aus dem Gefühl der Entfernung heraus den Wunsch schafft, eine Überbrückung zu vollziehen. Gewiß wäre dies für die hier in Frage stehende Periode eine Lösung gewesen, hätten beide Parteien sich zu ihr verstanden. Aber Brod selber hat erkannt: Wo Liebe ist, schwindet das Gefühl für Distanz – und das galt für die Juden –, und wo Distanz ist, kommt keine Liebe auf, und das galt für das Gros der Deutschen. Der Liebe der Juden zu Deutschland entsprach die betonte Distanz, mit der die Deutschen ihnen gegenübertraten. Gewiß, aus »Distanzliebe« heraus hätten diese Partner mehr Güte, Aufgeschlossenheit, Verständnis für einander aufbringen können. Aber historische Konjunktive sind immer illegitim...

So hörte man es im August 1966 und in Basel. Ein Jahr später war alles von Grund auf verändert. Ein Vernichtungskrieg gegen den Staat Israel war vorbereitet worden, der nach sechs Tagen als siegreicher Eroberungskrieg der Israelis enden sollte. Was sich im Anschluß an diese Ereignisse im öffentlichen deutschen Leben vollzog, wo man abermals, wie zu erwarten, von Blitzkrieg und Blitzsieg redete, erinnere ich heute noch mit Widerwillen. Der alte Erfahrungssatz wurde von neuem bestätigt: »Nichts ist so erfolgreich wie der Erfolg.« Plötzlich gab man in Deutschland den neugeborenen Kindern alttestamentliche Vornamen wie Sarah und Miriam, David und Daniel. Als hätte es nicht bereits genügend alttestamentliche Vornamen in deutschen Familien gegeben durch Michael und Joachim und Joseph, Anna und Elisabeth. Aber das wußte man wohl nicht mehr so genau.

Dann gab es einen zweiten Vernichtungsversuch der Nachbarn des jüdischen Staates. An seinem höchsten Feiertage, dem Jom Kippur, überfiel man ein betendes und fastendes Volk. Dies wurde ein schwerer und opferreicher Verteidigungskrieg, doch er endete mit einem Sieg und der Einbehaltung der 1967 eroberten Gebiete.

Nun wurde die Stimmung im Westen und vor allem in Deutschland wesentlich kühler. In einem bedeutenden und weitgehend totgeschwiegenen Buch hat sich der Schweizer Friedrich Dürrenmatt darüber mokiert. Dürrenmatts umfangreiches Buch, das Ergebnis einer Israelreise, die ihn auch nach Hebron führen sollte, erschien im Jahre 1976 mit dem Titel *Zusammenhänge. Essay über Israel. Eine Konzeption.* Was der schweizerische Schriftsteller unter der Konzeption versteht, sagt er in folgenden Sätzen: »Was uns für dieses Land streiten läßt, ist nicht seine Notwendigkeit, die sich mit jeder Dialektik (die in Wahrheit Sophistik ist) begründen läßt, sondern die Kühnheit seiner Konzeption: In ihr wird die Kühnheit des Menschseins sichtbar. Israel ist damit ein Experiment unserer Zeit, eine ihrer gefährlichsten Belastungsproben. Nicht nur die Juden, auch die Araber werden mit diesem Experiment getestet, mehr noch, wir alle.«

Man kann es nicht besser sagen. Alles ist verändert am Ende unseres Jahrhunderts. Noch vor dreißig Jahren, als man in Basel tagte, mochte das Problem der Deutschen und der Juden nach wie vor so etwas wie eine innere deutsch-jüdische Querele gewesen sein. Davon kann heute im mindesten die Rede nicht mehr sein. Es ist heute ein Thema zwischen den Staaten Deutschland und Israel. Es ist ein Thema des Weltfriedens oder des Weltunfriedens. Das macht: die Deutschen sind nicht mehr die Deutschen der vergangenen Jahrhunderte. Ihre einstigen Begriffe von einer Staatsnation und Kulturnation sind unscharf geworden. Das Zusammenleben der »eigentlichen« Deutschen mit ihren nicht eigentlichen deutschen Staatsbürgern wird immer virulenter. Doch in einem Lande fast ohne Juden sind bei allen Auseinandersetzungen um Fremdlinge, Asylanten und andere Ausländer die nicht vorhandenen Juden stets mitgemeint.

Und schließlich: unser Thema ist vor allem auch ein spannungsreiches Thema der Juden mit den Juden.

Um das zu verdeutlichen, berichte ich einfach über Fernsehbilder vom 5. November 1995. Ich sah sie in Jerusalem am Morgen nach dem Mord an Itzhak Rabin im israelischen Fernsehen. Da sah man religiös-orthodoxe junge Juden bei einer Trauerfeier. Liturgisch einwandfrei gewandet und mit den vielen liturgischen Verbeugungen. Ein Totengedenken. Man nennt das »schiwe sitzen«. Wen betrauerten sie? Nicht den ermordeten Ministerpräsidenten, den militärischen Sieger vom Jahre 1967. Sie trauerten um den aus New York importierten Massenmörder Baruch Goldstein, der in der Höhle Machpela, wo die jüdischen Patriarchen seit Abraham bestattet wurden, in die Beterschar der Moslems hineingeschossen hatte.

Zwei Arten der Toleranz

Nach den Gesetzen einer antiken Rhetorik hat eine öffentliche Rede mit einer exhortatio zu enden, einer Ermahnung. Vielleicht mit dem im kaiserlichen Deutschland üblichen Satz: »In diesem Sinne...«

Das ist hier und jetzt nicht möglich. Man nähert sich dem Ende des Jahrhunderts und Jahrtausends, doch wir kennen den Ausgang noch nicht.

Es wäre schön, jene fällige exhortatio wieder zurückzuführen zu den Anfängen einer deutsch-jüdischen Symbiose. Nämlich zur Ringparabel aus *Nathan der Weise*. Allein, das ist nicht mehr möglich. Was die eigentlichen drei Grunddenker jener deutsch-jüdischen Gemeinschaft oder »Distanzliebe« vor Augen hatten, ist niemals wirklich geworden. Es war ein großartiges Denkspiel von Immanuel Kant und Gotthold Ephraim Lessing, und mit ihnen befreundet war der kleine Jude aus Dessau, Moses Mendelssohn.

Der gerechte Richter bei Lessing geht von dem Gedanken aus, alle drei Ringe der Weltreligionen seien nicht echt. Folglich müsse man durch das praktische Tun die menschliche Gültigkeit des eigenen Rings selbst erhärten. Lessing nennt die Vokabeln: Unbestochenheit. Vorurteilsloses Denken. Mut. Wohltun. Verträglichkeit.

Allein, jeglicher Fundamentalismus von heute ist nicht bereit, an der Echtheit des eigenen Ringes zu zweifeln. Er will sie gewaltsam zu bestätigen suchen. Das aber ist das Gegenteil aller Aufklärung, aller Verträglichkeit, und damit aller Demokratie.

Ein zweites kommt hinzu, wenn von der Toleranz gesprochen wird. Die Erfahrungen unseres Jahrhunderts haben gezeigt, daß es auch eine menschenfeindliche Duldsamkeit geben kann: im Einzelleben wie im Leben der Völker. Der deutsch-jüdische Philosoph und Emigrant Herbert Marcuse hat den Begriff einer »repressiven Toleranz« geprägt. Womit nicht etwa eine neue Terminologie erfunden, sondern eine verdrängte Wirklichkeit benannt wurde.

Auch hier soll, wie bei dem Fernsehbild aus Jerusalem, ein Fernsehbild den Sachverhalt erläutern. Diesmal waren es Bilder aus Deutschland. Aus Rostock. Wir alle haben sie wohl gesehen vor einigen Jahren. Da waren abermals aufgehetzte junge Menschen am Werk, um wieder einmal Fremdlinge und Außenseiter auszuräuchern in einer kleinen und provinziellen »Endlösung«. Keine Juden diesmal. Allein, die waren immer mitgemeint. Man sah die verlegen grinsenden Polizisten. Sie hatten keinen Einsatzbefehl erhalten. Man sah die freudig applaudierenden Spießbürger, die der Untat nicht nur zuschauten, sondern Beifall zollten. Dies war repressive Toleranz. Sie machte den heutigen Betrachter sogleich wieder aufmerksam auf jene entweder Beifall klatschenden oder verlegen wegschauenden und weitergehenden Deutschen, wenn die Menschen mit dem gelben Stern vor ihren Augen fortgetrieben wurden.

Dies alles ist nach wie vor unsere Wirklichkeit. Es gibt eine einzige Lehre, die man rückblickend für uns alle ziehen kann. Jeder von uns muß zu sich selbst finden. Zu seiner eigenen Identität. Er darf sich nicht willenlos und geistlos den Informationen und Desinformationen überlassen. Er muß, mit Immanuel Kant zu sprechen, diese neue und diesmal verschuldete Unmündigkeit in sich bekämpfen. Der deutsche Schriftsteller Hans Magnus Enzensberger, Literaturpreisträger der Stadt Köln, hat vor zehn Jahren im Kölner Rathaus in seiner Dankrede von der allgemeinen Gefahr eines »sekundären Analphabetismus« gesprochen. Diese Gefahr wird ständig größer. Sie bedroht bereits die Grundlagen des demokratischen Systems, weil immer weniger rationale Wahlen stattfinden, sondern statt dessen verlogene Bilder und Reizsprüche angeboten werden.

Manches mag man einwenden können gegen die These von Theodor W. Adorno, wonach wahres Leben überhaupt nicht mehr möglich sei in einem »Unwahren Ganzen«. Eines aber ist sicher: keine Bilderflut einer Wegwerfgesellschaft und kein Fundamentalismus heiliger Krieger oder selbsternannter Propheten können jemals das Prinzip Hoffnung in uns allen widerlegen. Dieses Prinzip Hoffnung ist sehr einfach zu beschreiben:

Es ist einfach die Sehnsucht nach einem menschenwürdigen Leben.

Von Hans Mayer erschienen im Suhrkamp Verlag

Außenseiter. 1975 (auch : *st 736.* 1981)
Nach Jahr und Tag. Reden 1945-1977. 1978
Thomas Mann. 1980 (auch: *st 1047.* 1984)
Ein Deutscher auf Widerruf. Erinnerungen I. 1982 (auch: *st 1500.* 1988)
Ein Deutscher auf Widerruf. Erinnerungen II. 1984 (auch: *st 1501.* 1988)
Aufklärung heute. Reden und Vorträge 1978-1984. 1985
Das unglückliche Bewußtsein. Zur deutschen Literaturgeschichte von Lessing bis Heine. 1986 (auch: *st 1634.* 1989)
Augenblicke. Ein Lesebuch. Herausgegeben von Wolfgang Hofer und Hans Dieter Zimmermann. 1987
Stadtansichten. Berlin. Köln. Leipzig. München. Zürich. 1989
Reden über Ernst Bloch. 1989
Weltliteratur. Studien und Versuche. 1989 (auch: *st 2300.* 1994)
Abend der Vernunft. Reden und Vorträge 1985-1990. 1990
Der Turm von Babel. Erinnerungen an eine Deutsche Demokratische Republik. 1991 (auch: *st 2174.* 1993)
Wendezeiten. Über Deutsche und Deutschland. 1993 (auch: *st 2421.* 1995)
Der Widerruf. Über Deutsche und Juden. 1994 (auch: *st 2585.* 1996)
Das Wiedersehen mit China. Erfahrungen 1954-1994. 1995
Erinnerung an Brecht. 1996
Brecht. 1996

In der Bibliothek Suhrkamp:

Goethe. Ein Versuch über den Erfolg. 1973. *BS 367*
Doktor Faust und Don Juan. 1979. *BS 599*
Ein Denkmal für Johannes Brahms. Versuche über Musik und Literatur. 1983. *BS 812*
Versuche über Schiller. 1987. *BS 945*
Ansichten von Deutschland. Bürgerliches Heldentum. 1988. *BS 984*
Frisch und Dürrenmatt. 1992. *BS 1098*
Reden über Deutschland. 1996. *BS 1216*

In der edition suhrkamp:

Anmerkungen zu Brecht. 1965. *es 143*
Anmerkungen zu Richard Wagner. 1966. *es 189*
Das Geschehen und das Schweigen. Aspekte der Literatur. 1969. *es 342*
Der Repräsentant und der Märtyrer. 1971. *es 463*
Versuche über die Oper. 1981. *es 1050*
Gelebte Literatur. Frankfurter Vorlesungen zur Poetik. 1987. *es 1427*

In den suhrkamp taschenbüchern:

Georg Büchner und seine Zeit. 1972. *st 58*
Richard Wagner in Bayreuth. 1876-1976. 1978. *st 480*
Die umerzogene Literatur. Deutsche Schriftsteller und Bücher 1945-1967. 1991. *st 1923*
Die unerwünschte Literatur. Deutsche Schriftsteller und Bücher 1968-1985. 1992. *st 1958*

Über Hans Mayer:

Über Hans Mayer, Herausgegeben von Inge Jens. 1977. *es 887*
Hans Mayer zu Ehren. 1977
Materialien zu Hans Mayer »Außenseiter«. Herausgegeben von Gert Ueding. 1978. *st 448*